当代书法名家◎中国书法家协会草书专业委员会专辑

王亚洲

海风出版社
HAIFENG PUBLISHING HOUSE

图书在版编目（CIP）数据

王亚洲专辑/王亚洲书. —福州:海风出版社，2008.11
（当代书法名家. 中国书法家协会草书专业委员会专辑；7/胡国贤，李木教主编）
ISBN 978-7-80597-829-1

Ⅰ.王… Ⅱ.王… Ⅲ.草书—书法—作品集—中国—现代 Ⅳ.J292.28

中国版本图书馆CIP数据核字（2008）第177072号

当　代　书　法　名　家
中国书法家协会草书专业委员会专辑
王亚洲 专辑

策　　划：焦红辉
主　　编：胡国贤　李木教
责任编辑：叶家佺　叶浩鹏　吴德才
装帧设计：叶浩鹏
责任印制：傅　强　吴尚联

出版发行：海风出版社
(福州市鼓东路187号　邮编:350001)
出 版 人：焦红辉
印　　刷：福州青盟印刷有限公司
开　　本：889×1194毫米　1/16
印　　张：4印张
版　　次：2008年11月 第1版
印　　次：2009年3月 第1次印刷
书　　号：ISBN 978-7-80597-829-1/J · 177
定　　价：798.00元 (全套21册)

王亚洲　安徽合肥人，字臻一，号雅舟，别署竹音阁主人，现就职于安徽省书法家协会。

中国书法家协会草书专业委员会委员，安徽省书法家协会副主席、篆刻委员会副主任，安徽省文学艺术界联合会委员，安徽省青年书法家协会主席，中国书法家协会书法培训中心教授、工作室导师，安徽省直机关书画协会副主席，安徽省青年联合会常委，国家二级美术师。

作品入展中国书法家协会、西泠印社主办全国大展100余次，参加国内外重要展事数次。其中荣获中国书法家协会主办『全国第六届书法篆刻展』全国奖、『全国首届楹联展』金奖、『全国首届正书大展』金奖、『全国首届青年展』全国奖、『一煤电杯』全国书法展』一等奖等奖项10余次。

策划并主编《中国书坛名家手卷系列丛书》，入编《中国印学年鉴》、《中南海收藏书法珍品集》等多部大型典籍，中国文联出版公司出版《王亚洲书法篆刻艺术暨收藏作品集》，作品被多家文博单位收藏。

荣获『安徽省政府文艺奖』、『安徽省直机关精神文明十佳先进个人』、『安徽省首届优秀青年书法家』等称号。

序

两个多月前，经李木教委员搭桥，由海风出版社出版《当代书法名家》丛书，第一辑为中国书法家协会草书专业委员会专辑，每个委员一卷，既能反映每位书家个人的艺术风采，又能体现草书委员会的整体实力、整体风貌，还能彰显当代草书创作的一些境况和情势，一举多得，令人兴奋。

草书专业委员会成立于2006年，是中国书法家协会下设的几个专业委员会之一，职责是专事草书方面的研究、创作等。共有委员二十一人（原二十二人，副主任周永健先生今年五月因病故去）。年龄最大者六十几岁，最小者三十几岁，都是活跃在当今书坛的实力派书家。

这二十位书家，每个人都在草书上卓有建树，功力既深，格调亦高，个性风格鲜明而强烈。他们都以传统为师，在传统中孜孜以求，精益求精。并在此基础上，广涉博取，锐意开拓，大胆突破，开辟新境界。因而他们的作品无论气象还是内涵上，都很耐人寻味，颇富艺术感染力。

海风出版社将这么多书家和他们的作品结集出版，诚是一着高棋，定会令人一饱眼福，并从中获得一些有益的启示。

本人作为草书委员会的一员，能和诸书友一道共同参与这个盛事，深感荣幸。借本书出版之际，谨向海风出版社表示诚挚的谢意。希望本书能受到欢迎。也诚望能得到批评指正，以期有更大的长进，不辜负书友和同道们的厚望。

聂成文

二〇〇八年八月八日

目录

作品

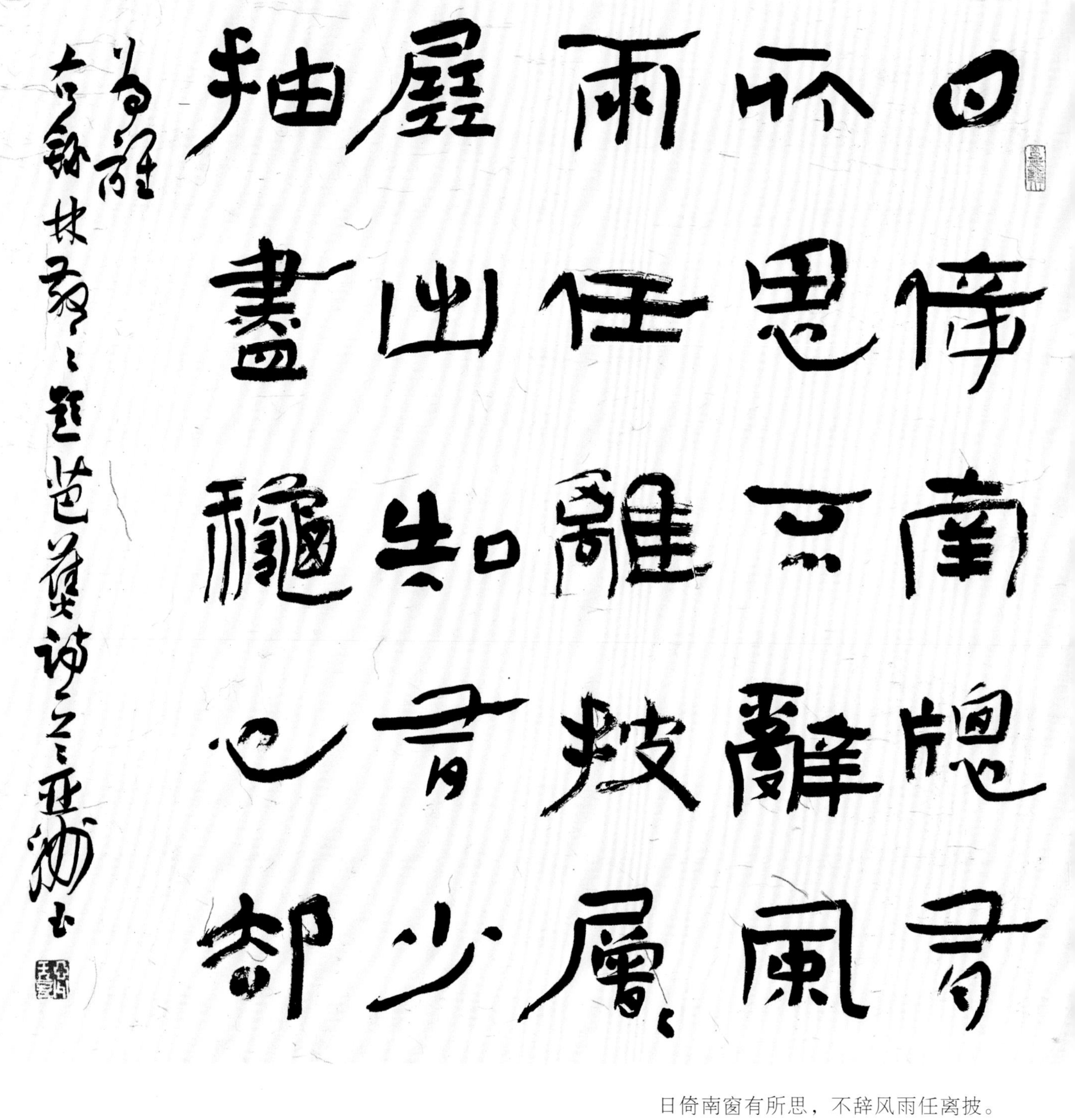

日倚南窗有所思，不辞风雨任离披。
层层展出知多少，抽尽秋心却为谁。

旷朗无尘

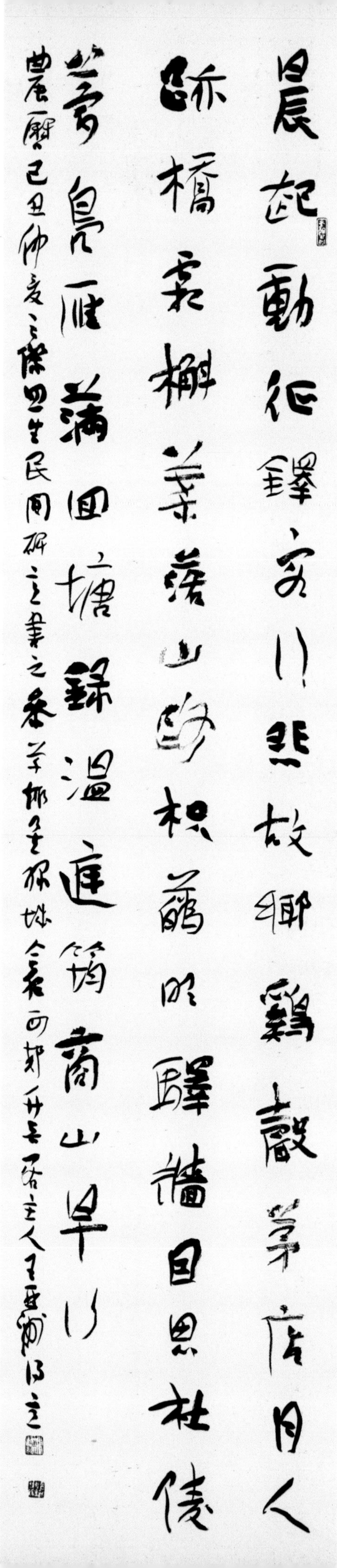

晨起动征铎，客行悲故乡。鸡声茅店月，人迹（板）桥霜。
槲叶落山路，枳花明驿墙。因思杜陵梦，凫雁满回塘。

闻道柴桑景最幽，晚凉清新到林丘。
墨池一庭西风起，染出东篱片片秋。

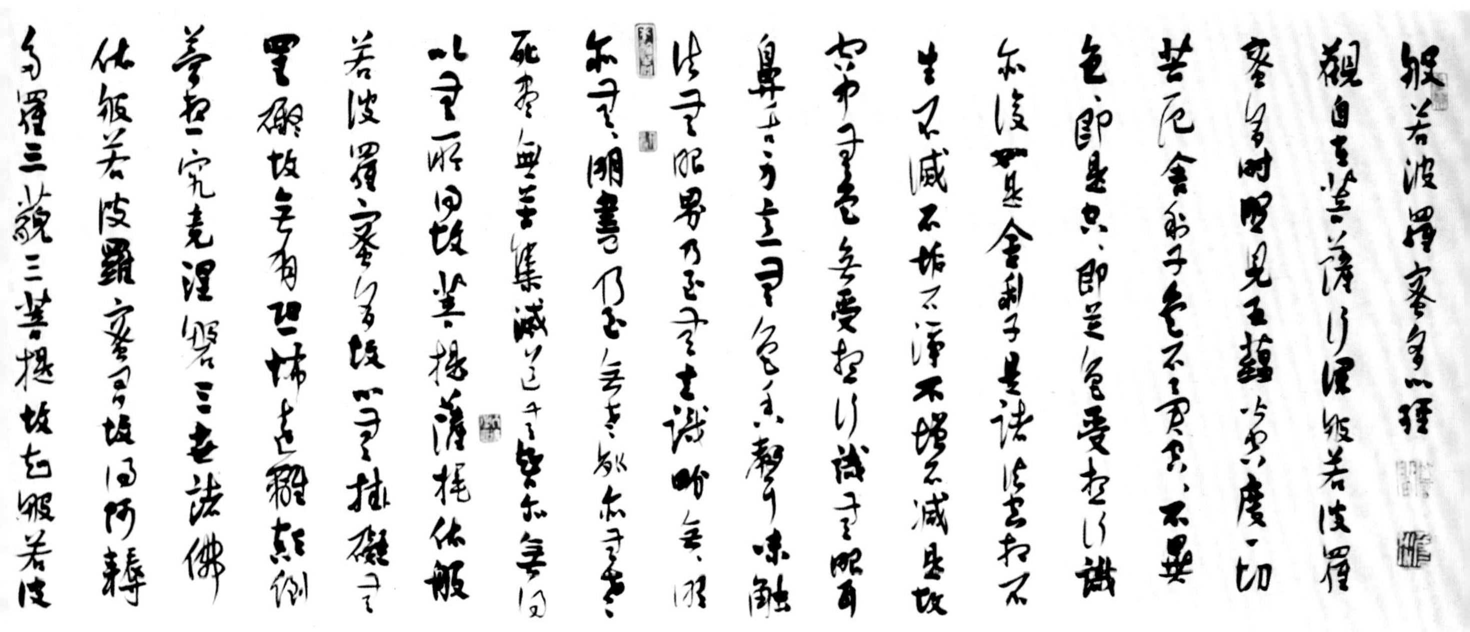
般若波羅蜜多心經
觀自在菩薩行深般若波羅
蜜多時照見五蘊皆空度一切
苦厄舍利子色不異空空不異
色色即是空空即是色受想行識
亦復如是舍利子是諸法空相不
生不滅不垢不淨不增不減是故
空中無色無受想行識無眼耳
鼻舌身意無色聲香味觸
法無眼界乃至無意識界無無明
亦無無明盡乃至無老死亦無老
死盡無苦集滅道無智亦無得
以無所得故菩提薩埵依般
若波羅蜜多故心無掛礙無
罣礙故無有恐怖遠離顛倒
夢想究竟涅槃三世諸佛
依般若波羅蜜多故得阿耨
多羅三藐三菩提故知般若波

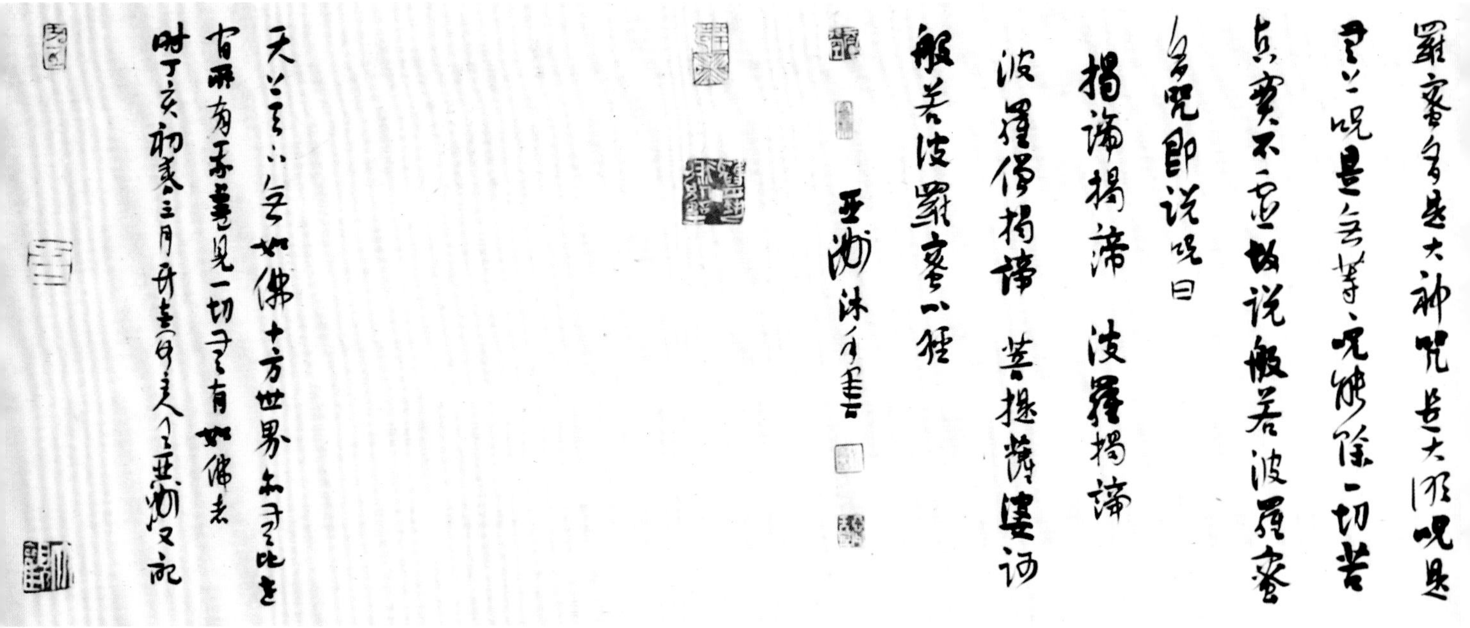

般若波罗蜜多心经　观自在菩萨，行深般若波罗蜜多时，照见五蕴皆空，度一切苦厄，舍利子，色不异空，空不异色，色即是空，空即是色，受想行识，亦复如是，舍利子，是诸法空相，不生不灭，不垢不净，不增不减，是故空中无色，无受想行识，无眼耳鼻舌身意，无色声香味触法，无眼界，乃至无意识界，无无明，亦无无明尽，乃至无老死，亦无老死尽，无苦集灭道，无智亦无得，亦无所得故，菩提萨埵，依般若波罗蜜多故，心无挂碍，无挂碍故，无有恐怖，远离颠倒梦想究竟涅槃，三世诸佛，依般若波罗蜜多故，得阿耨多罗三藐三菩提，故知般若波罗蜜多，是大神咒，是大明咒，是无上咒，是无等等咒，能除一切苦，真实不虚，故说般若波罗蜜多咒，即说咒曰：揭谛揭谛，波罗揭谛，波罗僧揭谛，菩提萨婆诃。

楚有子文人亦虎，
周难惠氏我非鱼。

半城台阁参天出
满室香烟隔座闻

大槩推之事貴在鼓舞
其氣但不害
至明體中何如耳前勝江
勞碌須用之出其妙也日
字亦各有妙處亦道教後漢文
至西京隨其君子勞倦

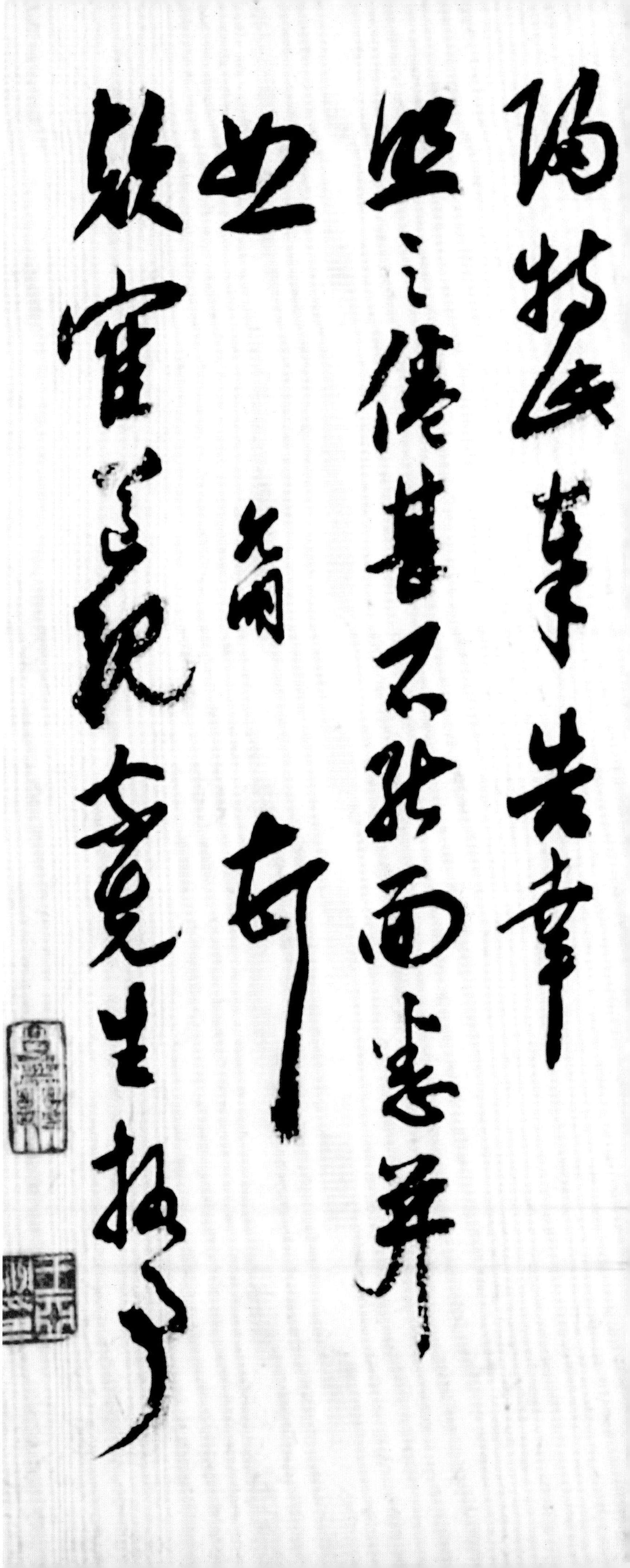

临祝允明手札

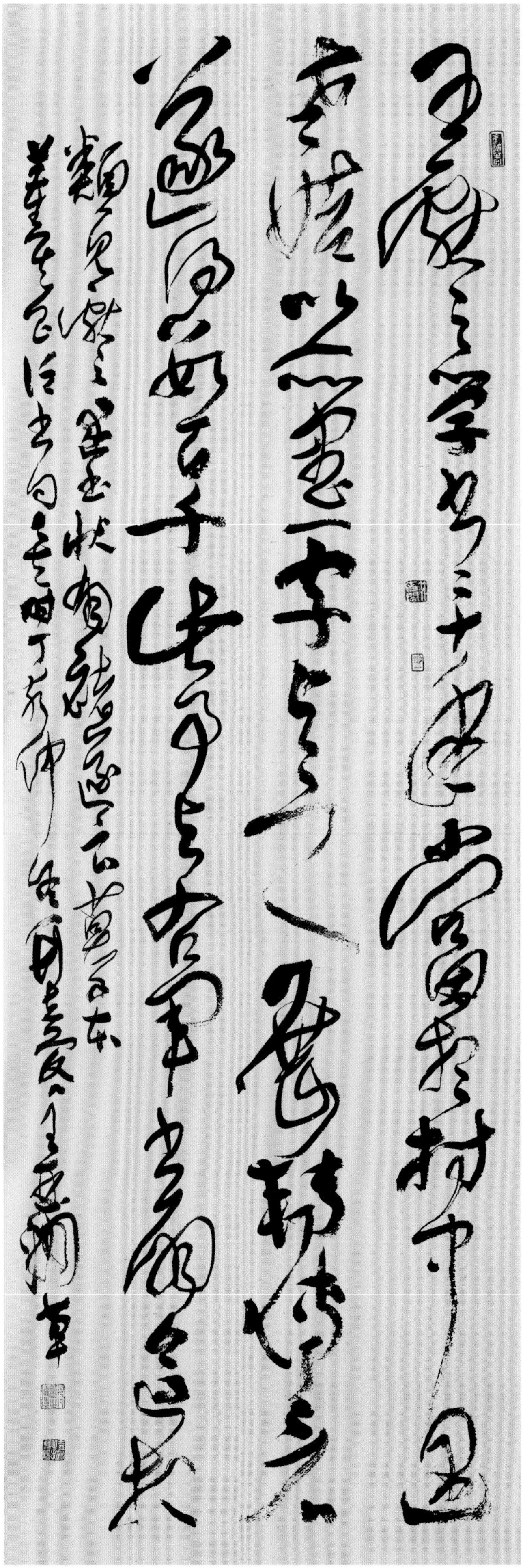

王献之学书二十年，尝於村中遇老姥，以所书一字与之，展转传看，遂得数百千。此事与右军书扇适相类，见献之《述书状》有褚遂良摹本。

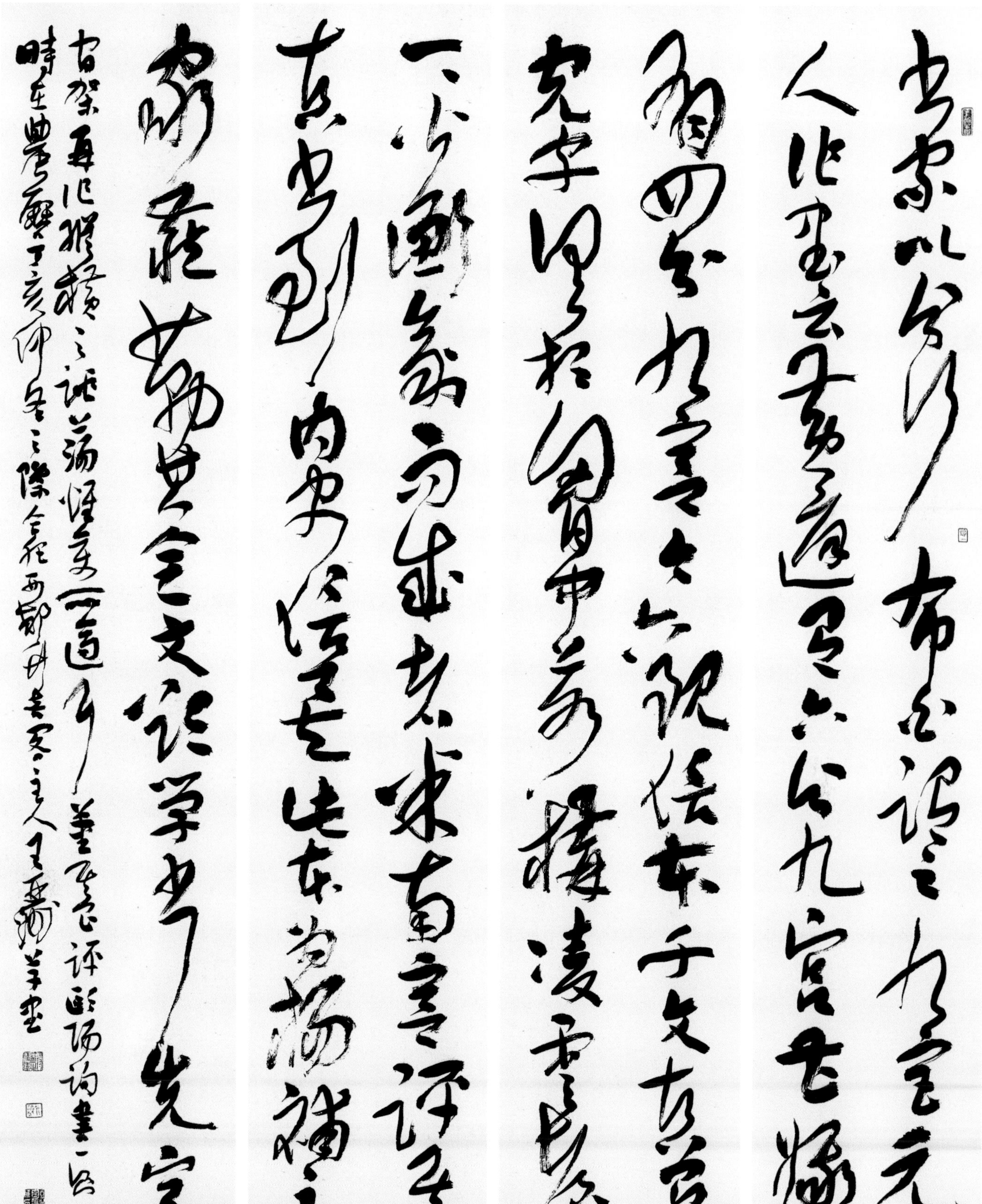

书家以分行布白，谓之九宫。元人作书云：《黄庭》有六分九宫；《曹娥》有四分九宫。今观信本千文，真有完字具于胸中。若构凌云台，一一皆衡剂而成者。米南宫评其真书到内史，信矣。此本为杨补之家藏，勒其全文。欲学书先定间架，再作纵横之跌荡，惟变所适耳。

闲居足以养老
至乐莫如读书

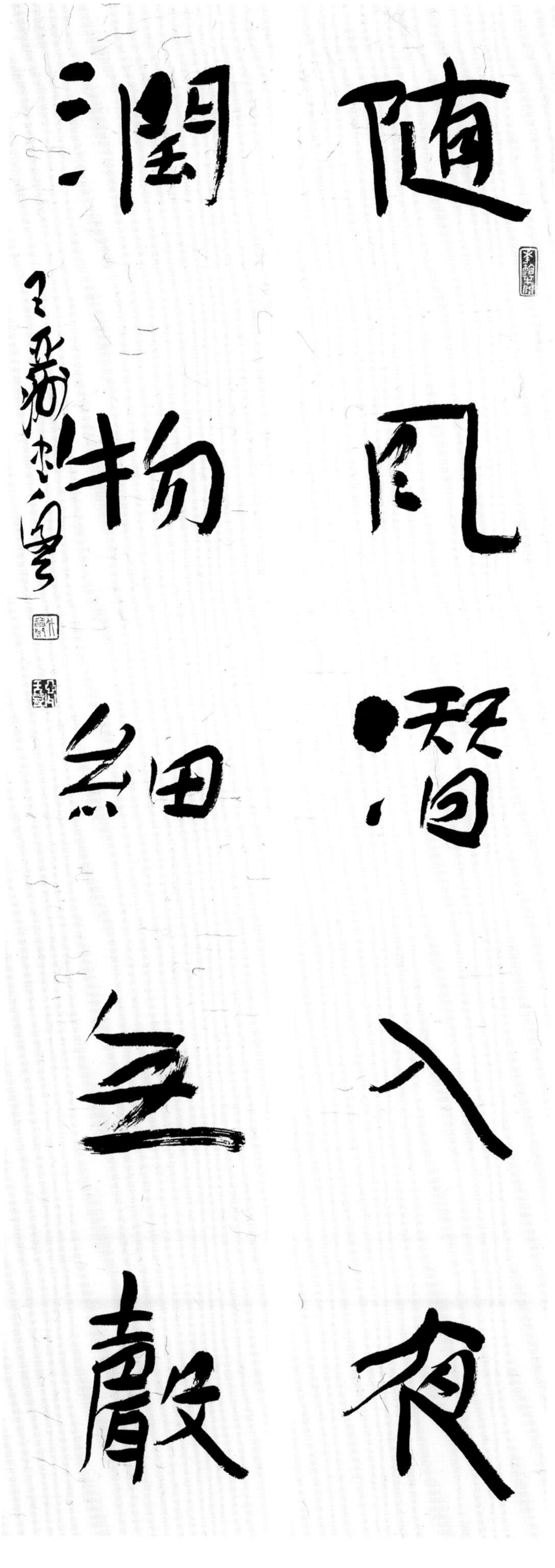

随风潜入夜
润物细无声

积学储宝

儲寶

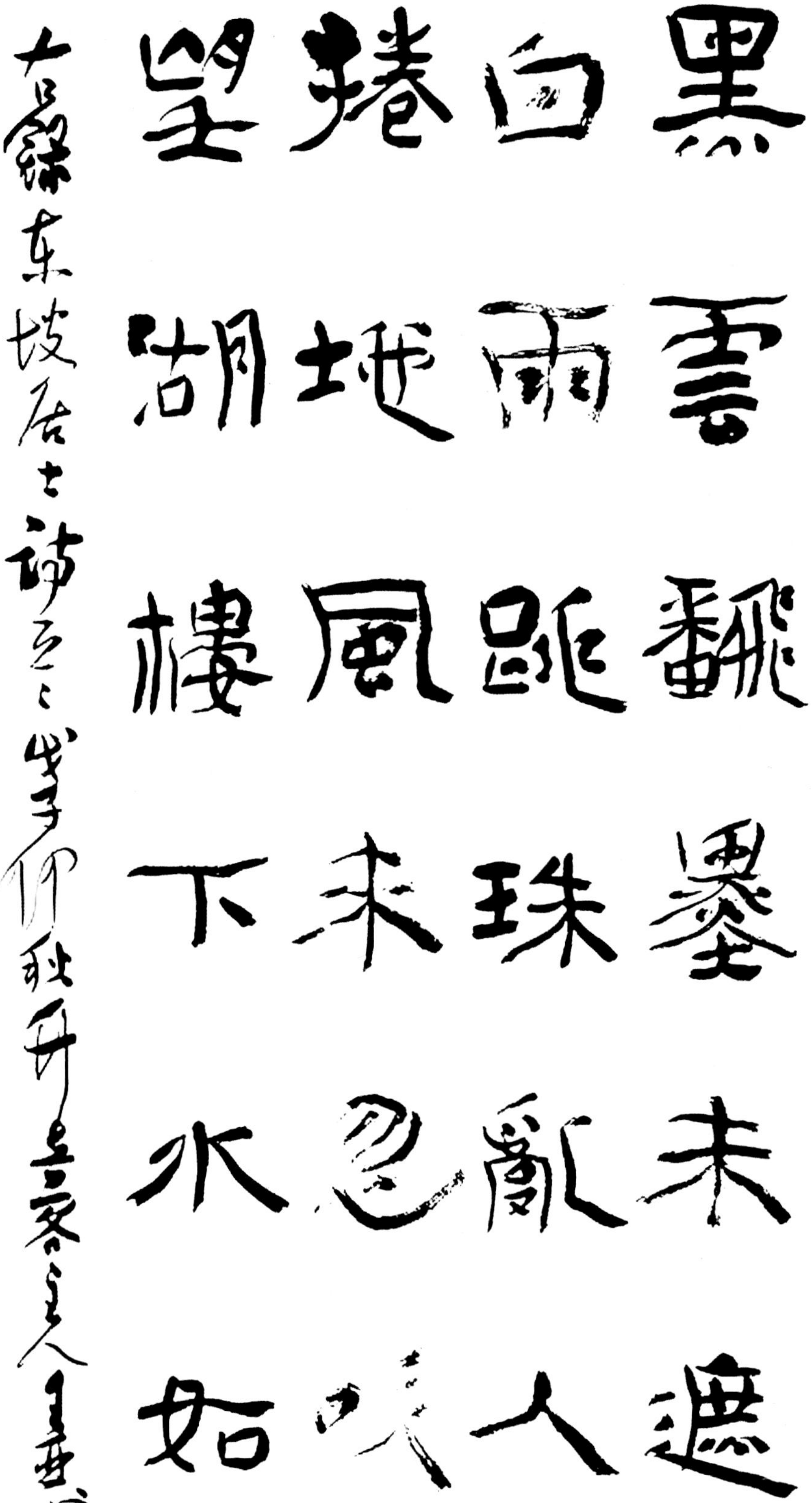

黑云翻墨未遮山，白雨跳珠乱入船。
卷地风来忽吹散，望湖楼下水如天。

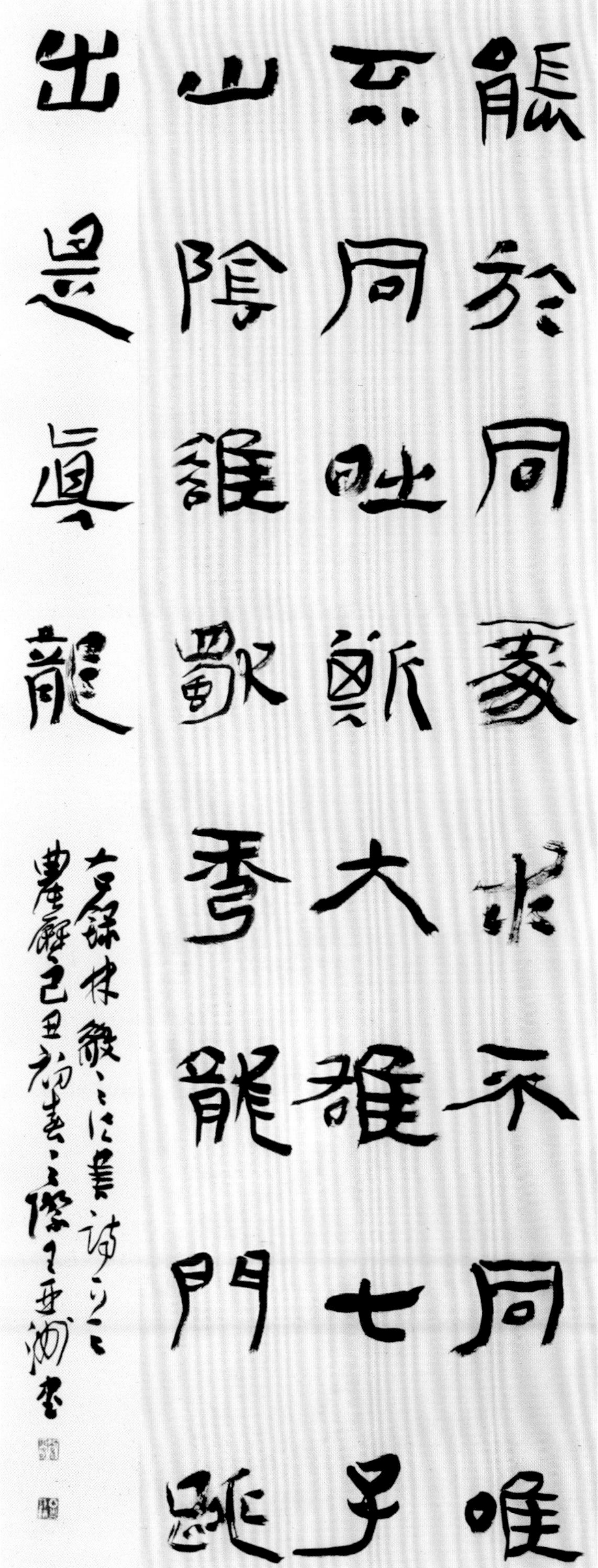

能于同处求不同，唯不同时斯大雄。
七子山阴谁独秀，龙门跳出是真龙。

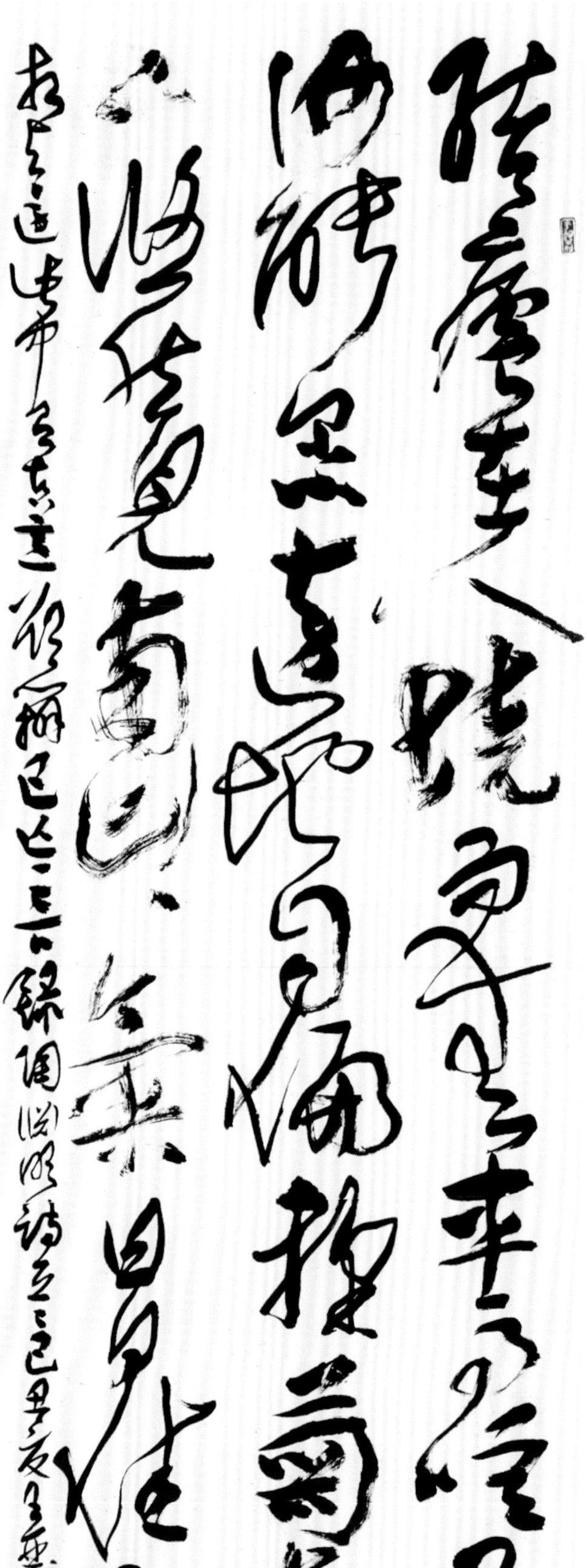

结庐在人境，而无车马喧。
问君何能尔，心远地自偏。
采菊东篱下，悠然见南山。
山气日夕佳，飞鸟相与还。
此中有真意，欲辩已忘言。

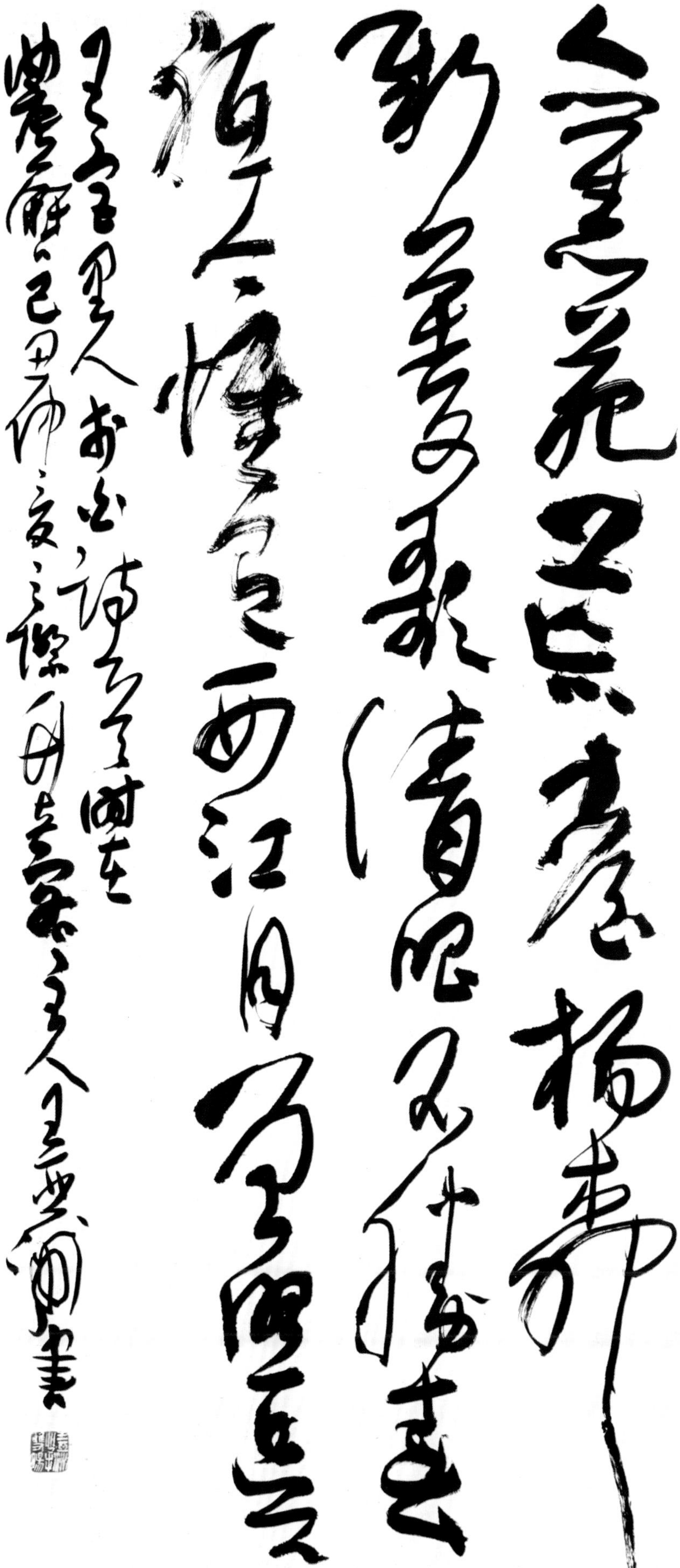

旧苑荒台杨柳新，菱歌清唱不胜春。
只今惟有西江月，曾照吴王宫里人。

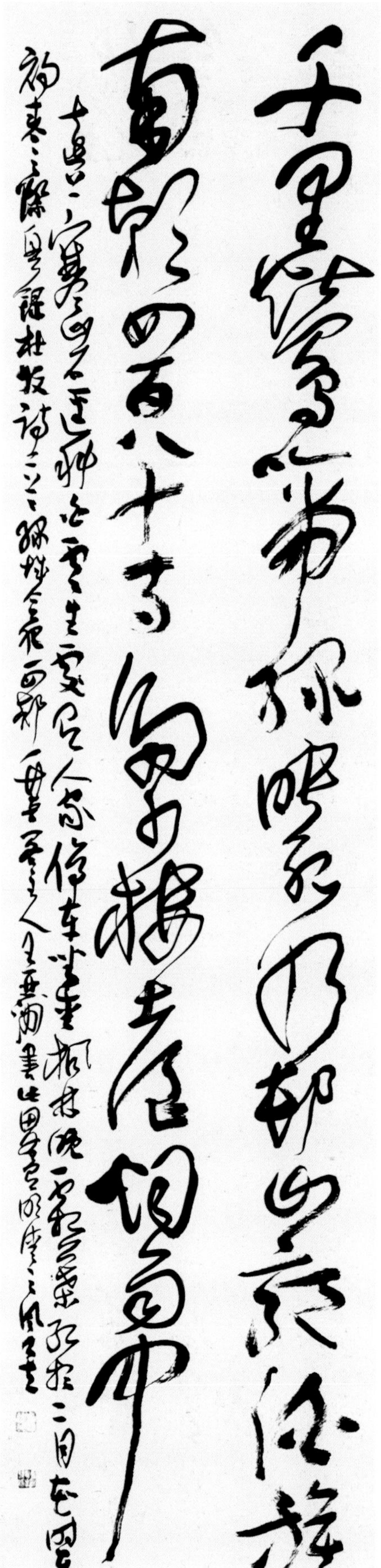

千里莺啼绿映红，水村山郭酒旗风。
南朝四百八十寺，多少楼台烟雨中。
远上寒山石径斜，白云生处有人家。
停车坐爱枫林晚，霜叶红于二月花。

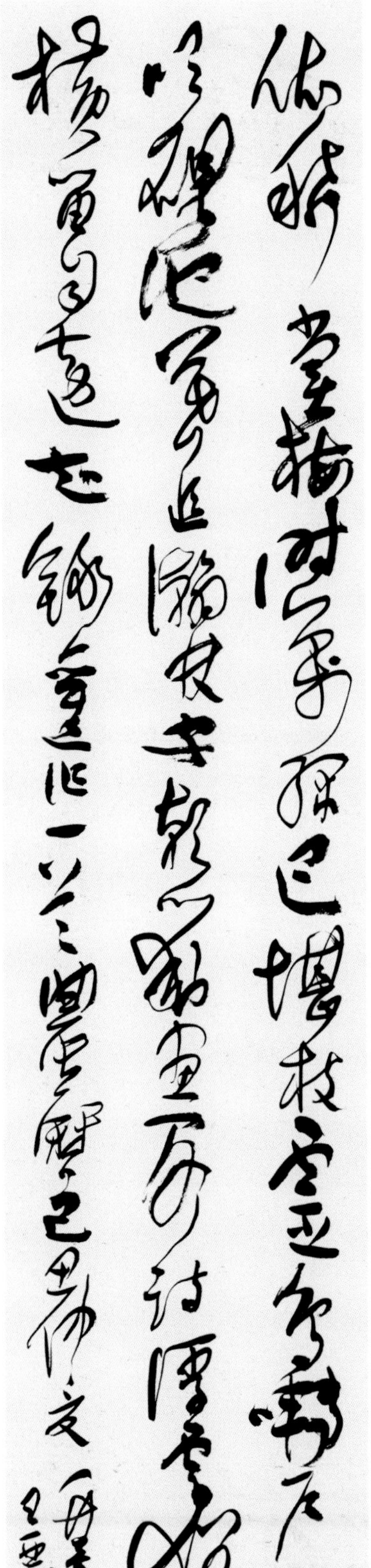

依稀赏梅时，万绿已堪枝。
灵鸟啭户牖，清风吹砚池。
暮追翰林字，朝对画阁诗。
浮云犹淡定，横笛自远知。

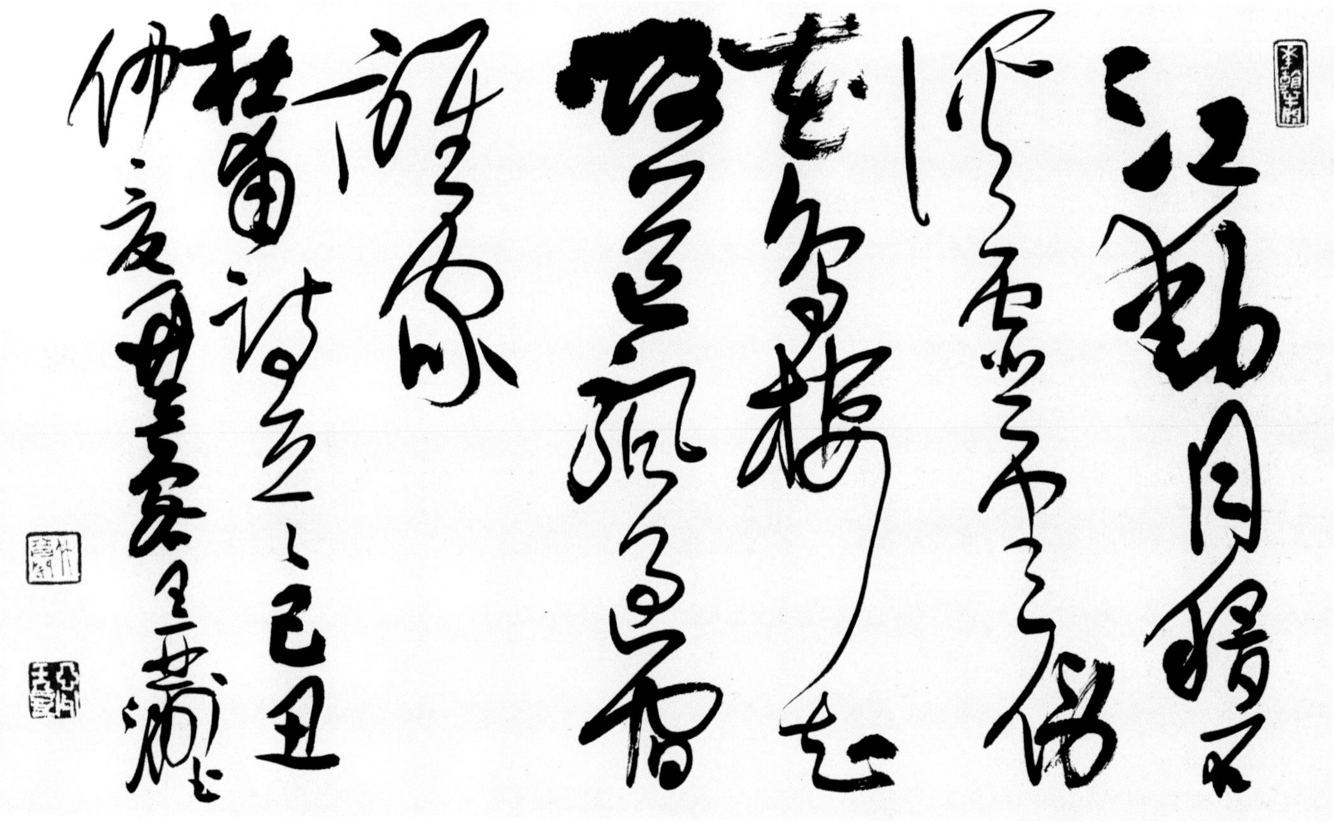

江动月移石，溪虚云傍花。鸟栖知故道，帆过宿谁家。

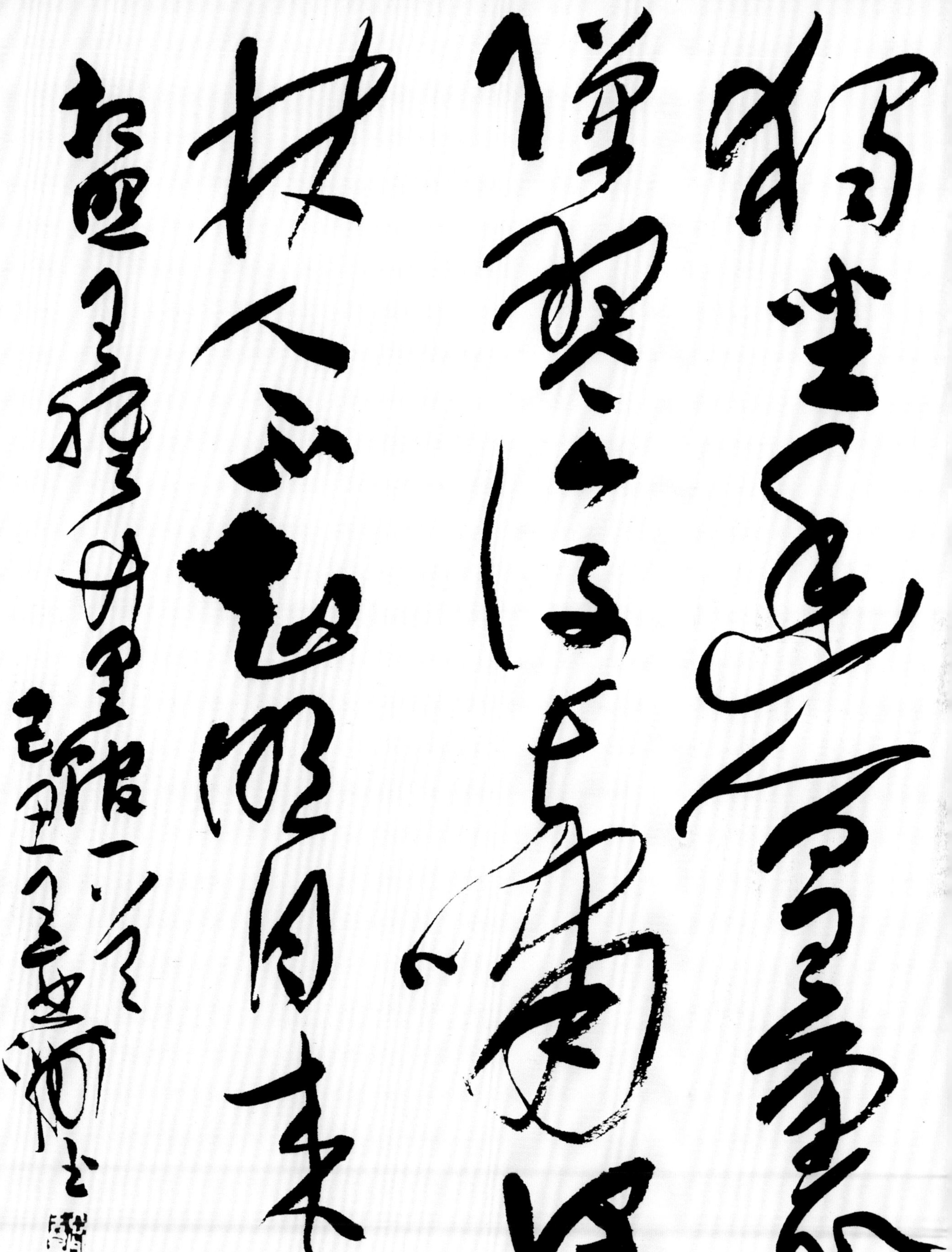

独坐幽篁里，弹琴复长啸。深林人不知，明月来相照。

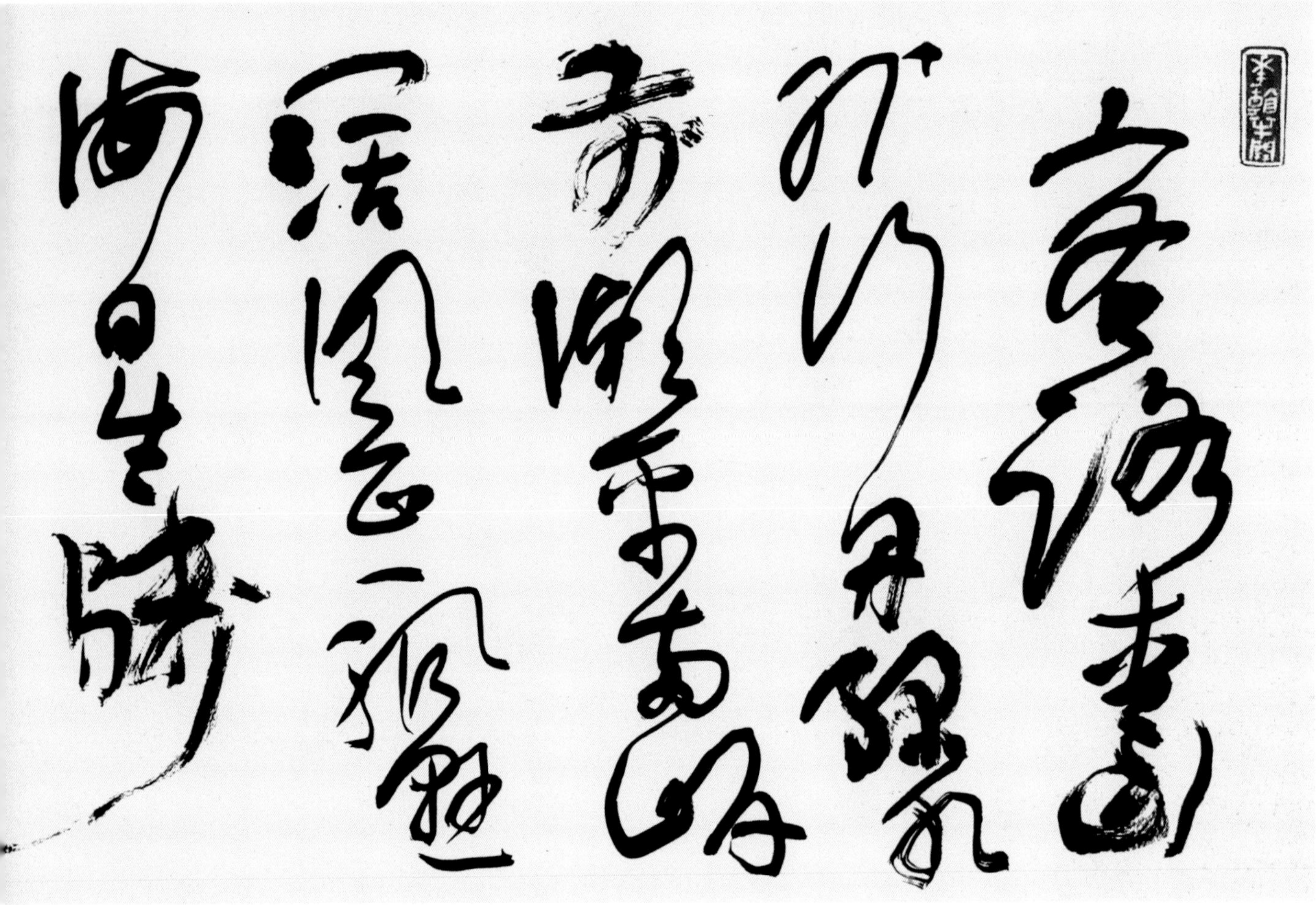

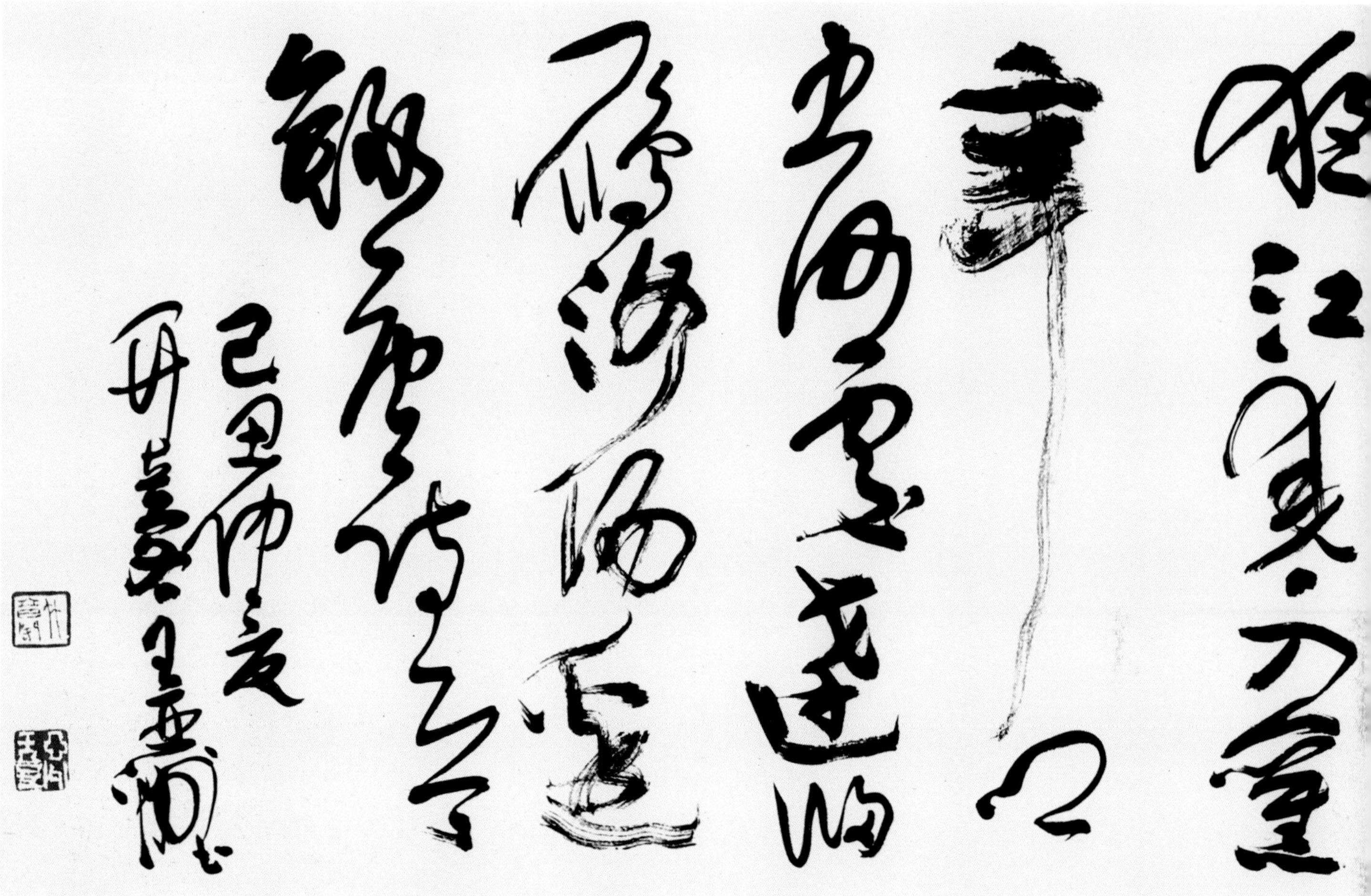

客路青山外，行舟绿水前。潮平两岸阔，风正一帆悬。
海日生残夜，江春入旧年。乡书何处达，归雁洛阳边。

青山隐隐水迢迢，秋尽江南草未凋。
二十四桥明月夜，玉人何处教吹箫。

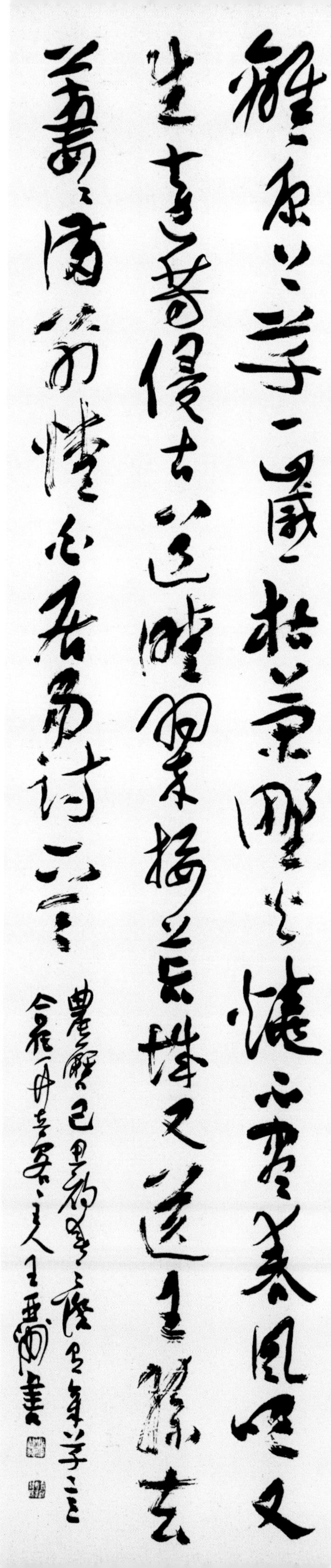

离离原上草，一岁一枯荣。
野火烧不尽，春风吹又生。
远芳侵古道，晴翠接荒城。
又送王孙去，萋萋满别情。

风曜穆清

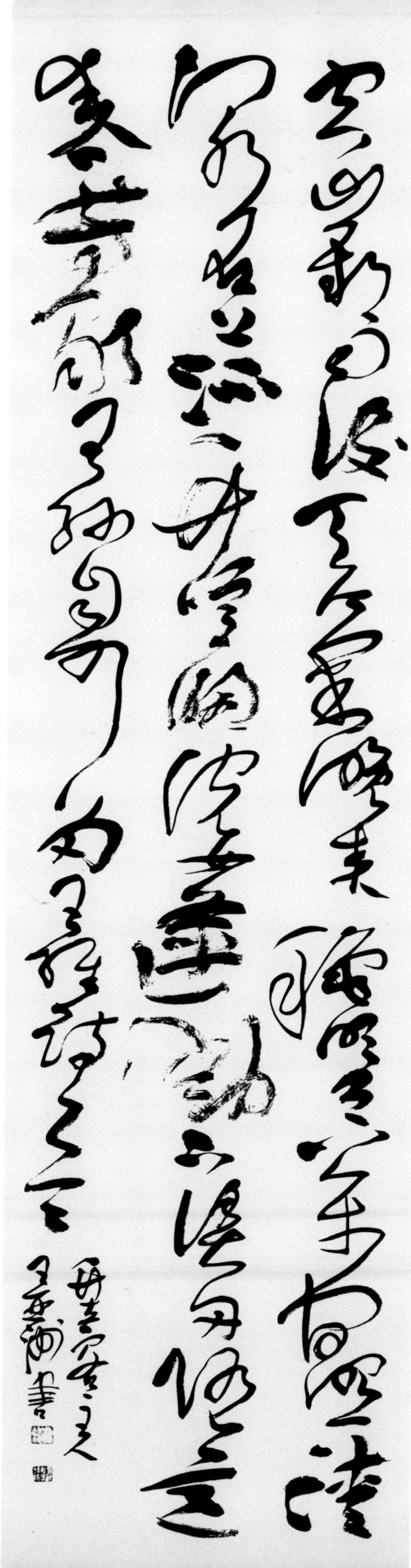

空山新雨后，天气晚来秋。
明月松间照，清泉石上流。
竹喧归浣女，莲动下渔舟。
随意春芳歇，王孙自可留。

远上寒山石径斜，白云生处有人家。
停车坐爱枫林晚，霜叶红于二月花。

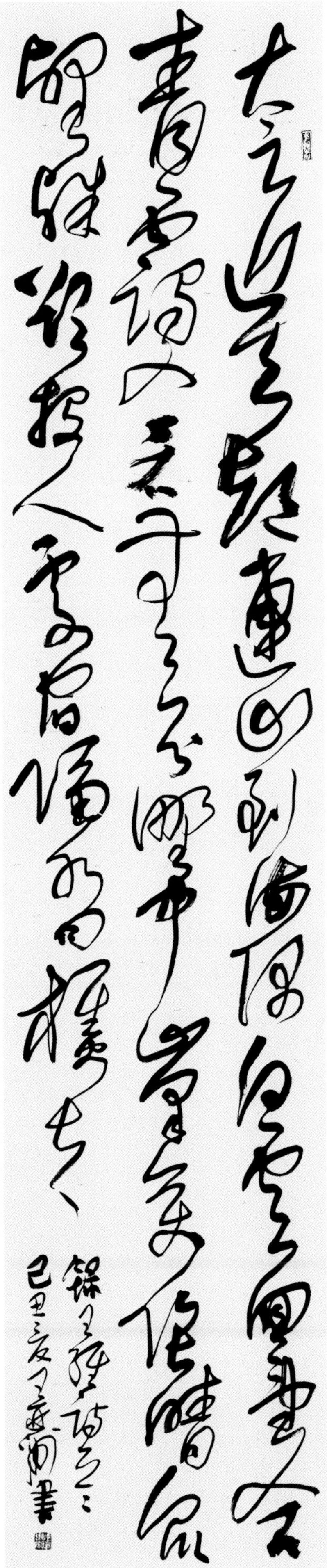

太乙近天都，连山到海隅。
白云回望合，青霭入看无。
分野中峰变，阴晴众壑殊。
欲投人处宿，隔水问樵夫。

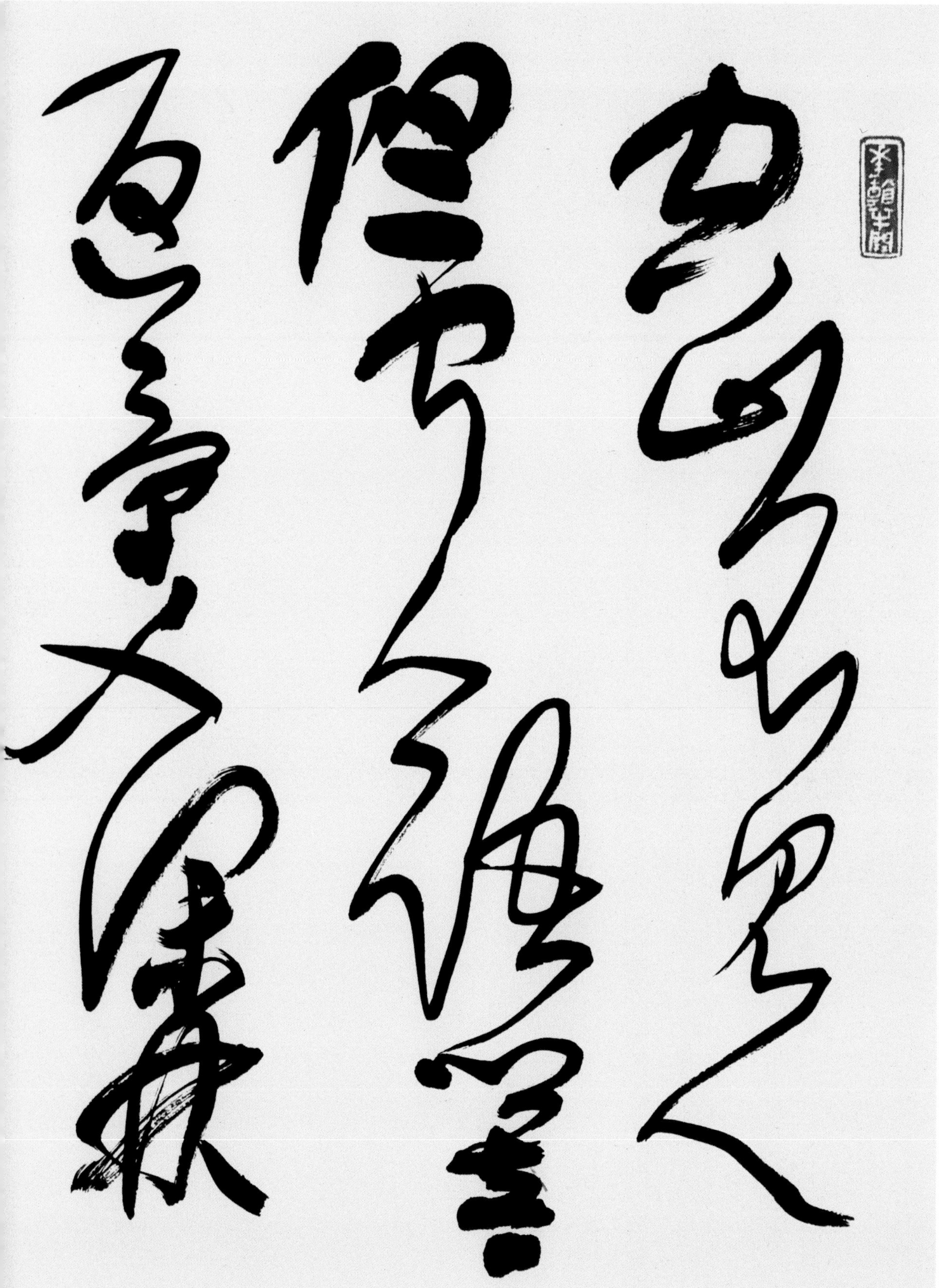

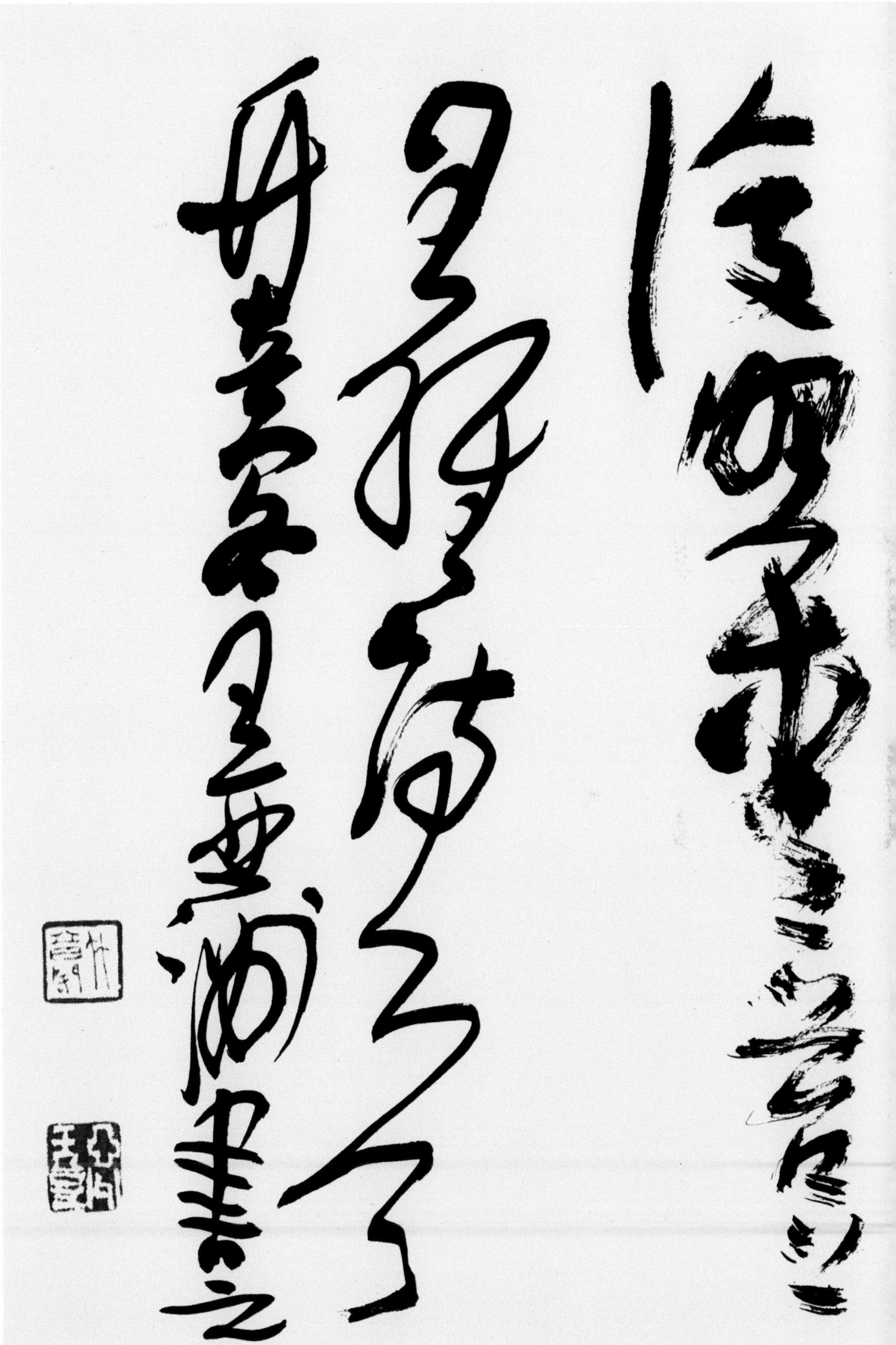

空山不见人，但闻人语响。
返景入深林，复照青苔上。

守黑方知白可貴臨摹始悟古
之真應從骨法求書法變向今人
證古人論書之一雲臥千山吐欲起春回
萬木自推陳眼中風物承亦葉天
迹稾來又一新論畫之二猶能畫采骨亦
升豈肯隨人腳後塵即學古人又要

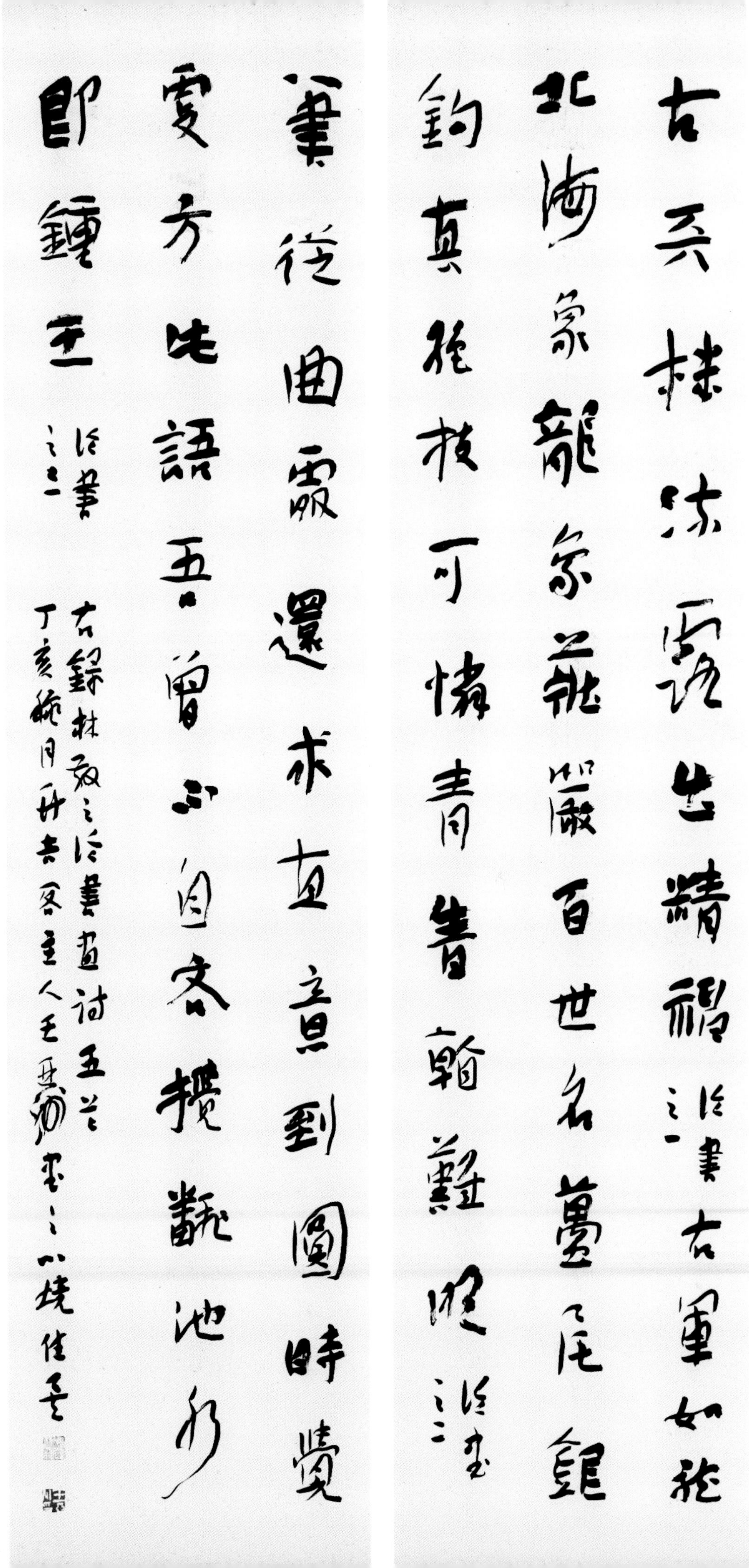

守黑方知白可贵，能繁始悟简之真。应从有法求无法，更向今人认古人。
云卧千山时欲起，春回万木自推陈。眼中风物手中笔，生趣年来又一新。
犹能画我胸中竹，岂肯随人脚后尘。既学古人又变古，天机流露出精神。
右军如龙北海象，龙象庄严百世名。虿尾银钩真绝技，可怜青眚看难明。
笔从曲处还求直，意到圆时觉更方。此语我曾不自吝，搅翻池水便钟王。

独能画我胸中竹，岂肯随人脚后尘。
既学古人又变古，天机流露出精神。

弓挟海雲

之精神

訥求取法

書之

毋書之人

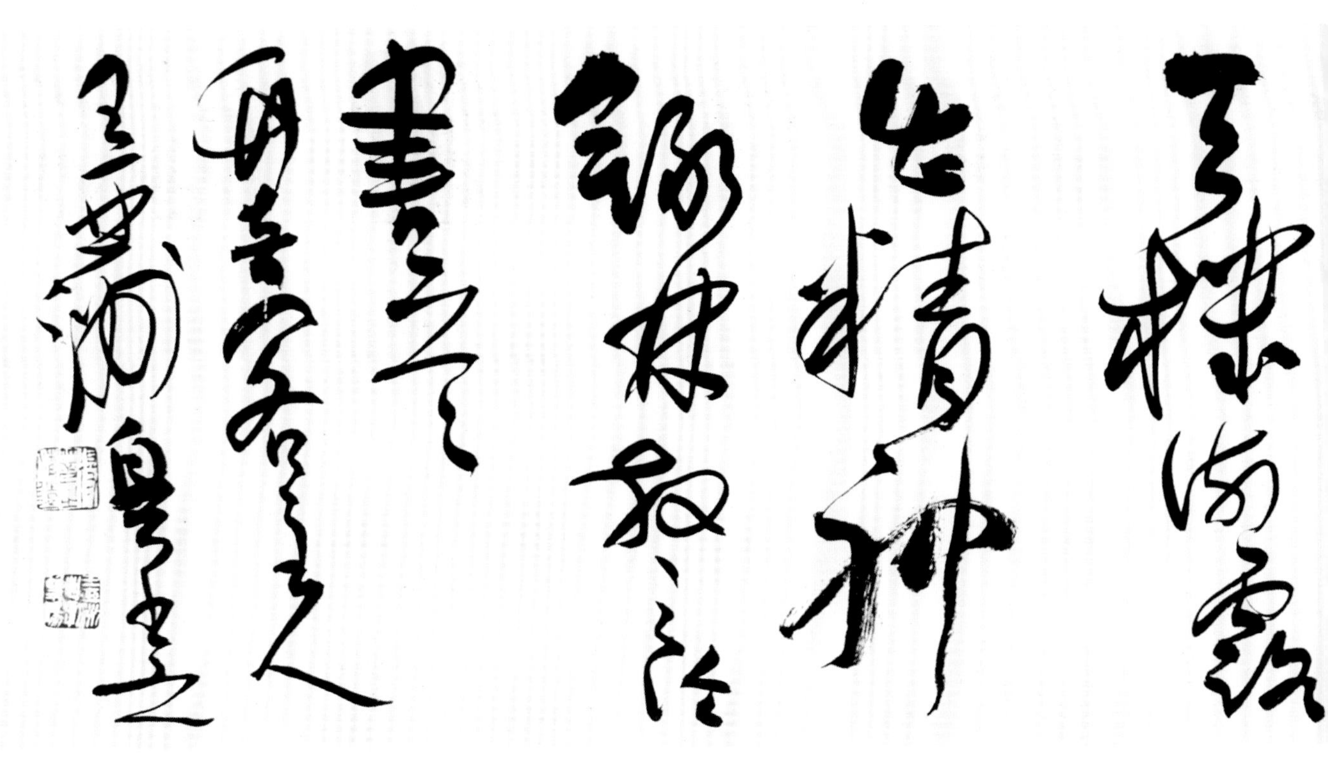

红杏东风飞尘幕
绿杨南陌趁游人

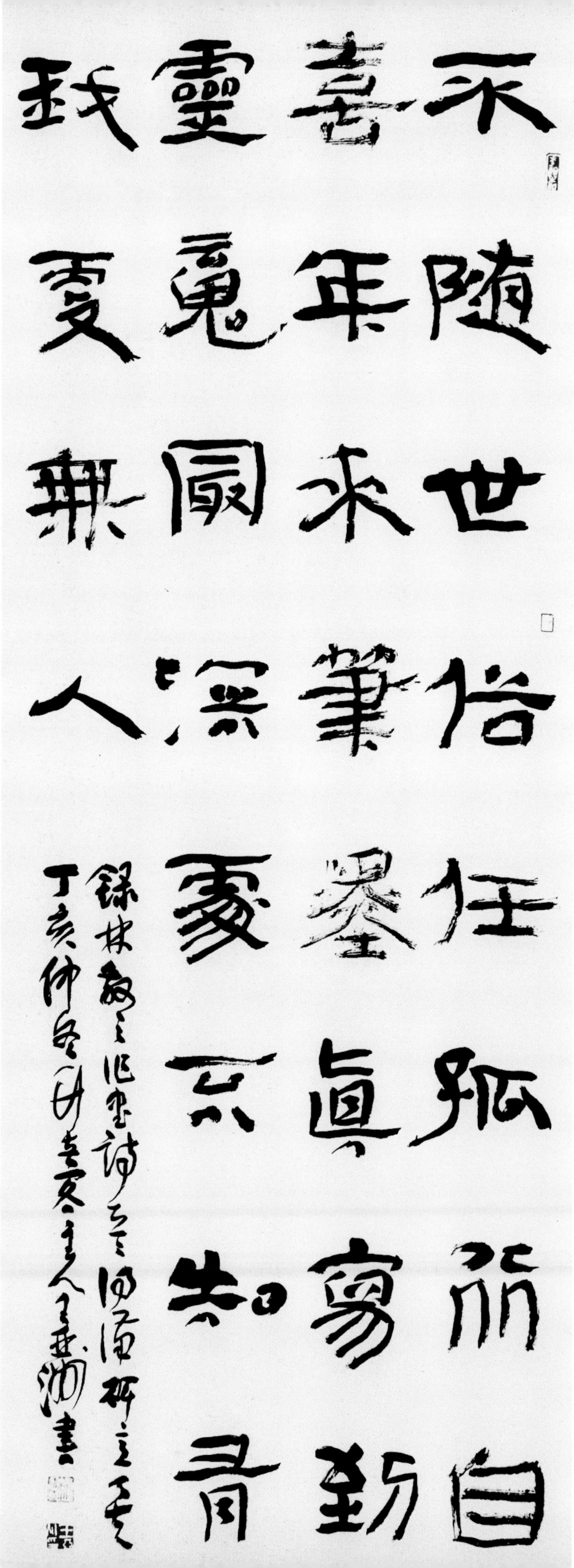

不随世俗任孤行，自喜年来笔墨真。
写到灵魂最深处，不知有我更无人。

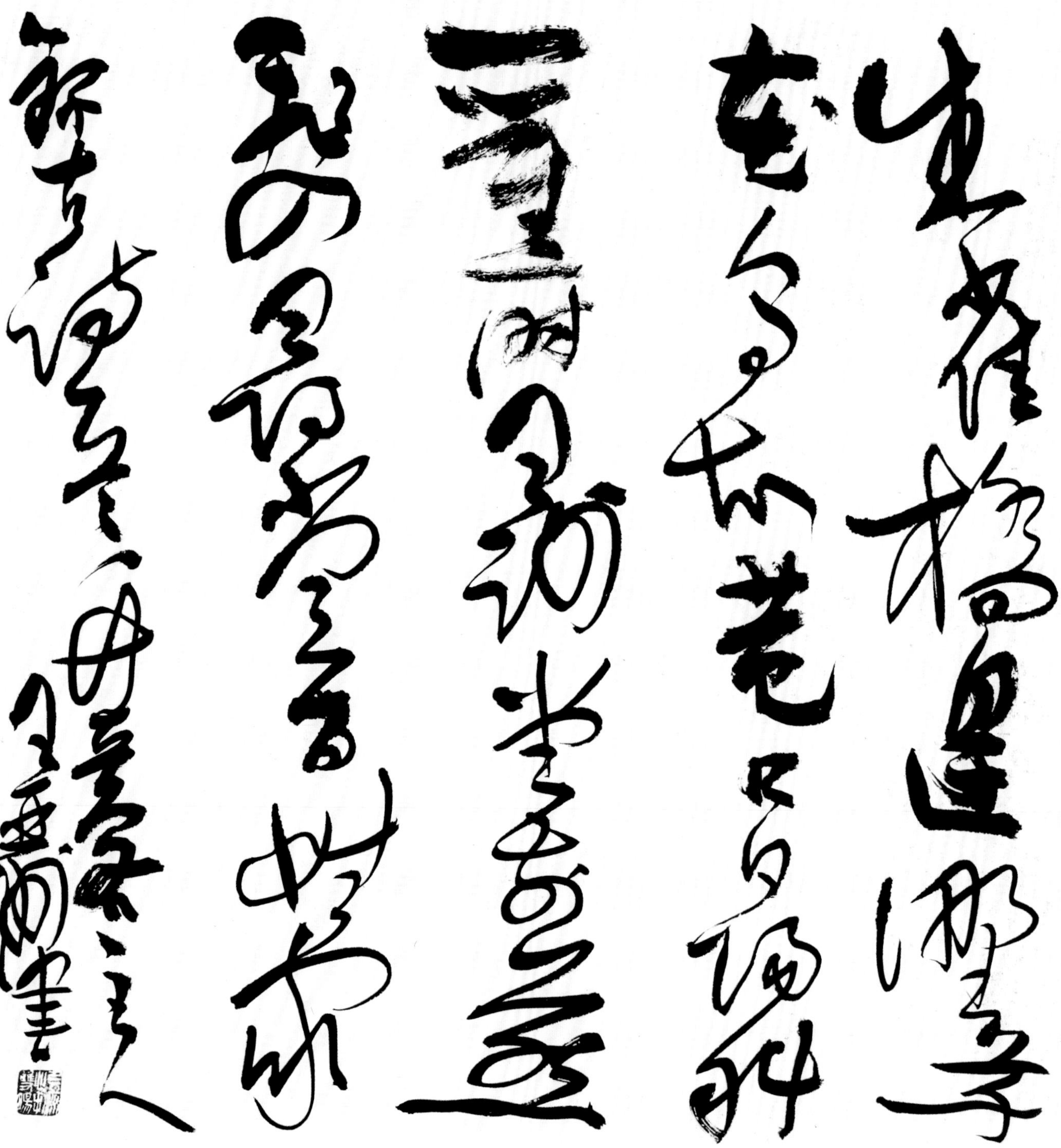

朱雀桥边野草花，乌衣巷口夕阳斜。
旧时王谢堂前燕，飞入寻常百姓家。

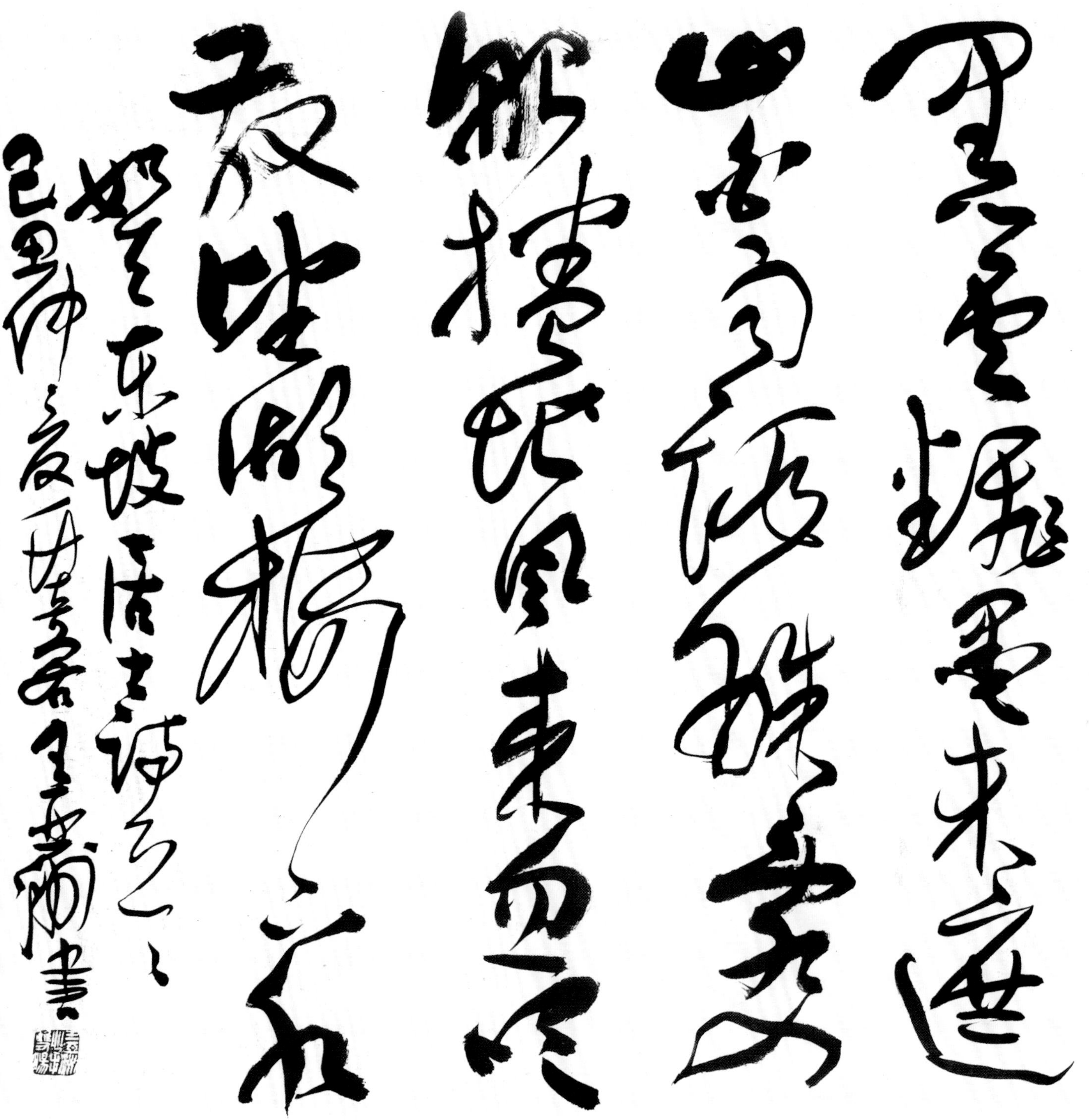

黑云翻墨未遮山，白雨跳珠乱入船。
卷地风来忽吹散，望湖楼下水如天。

千載空悠悠
晴川歷歷漢陽樹
芳草萋萋鸚鵡洲

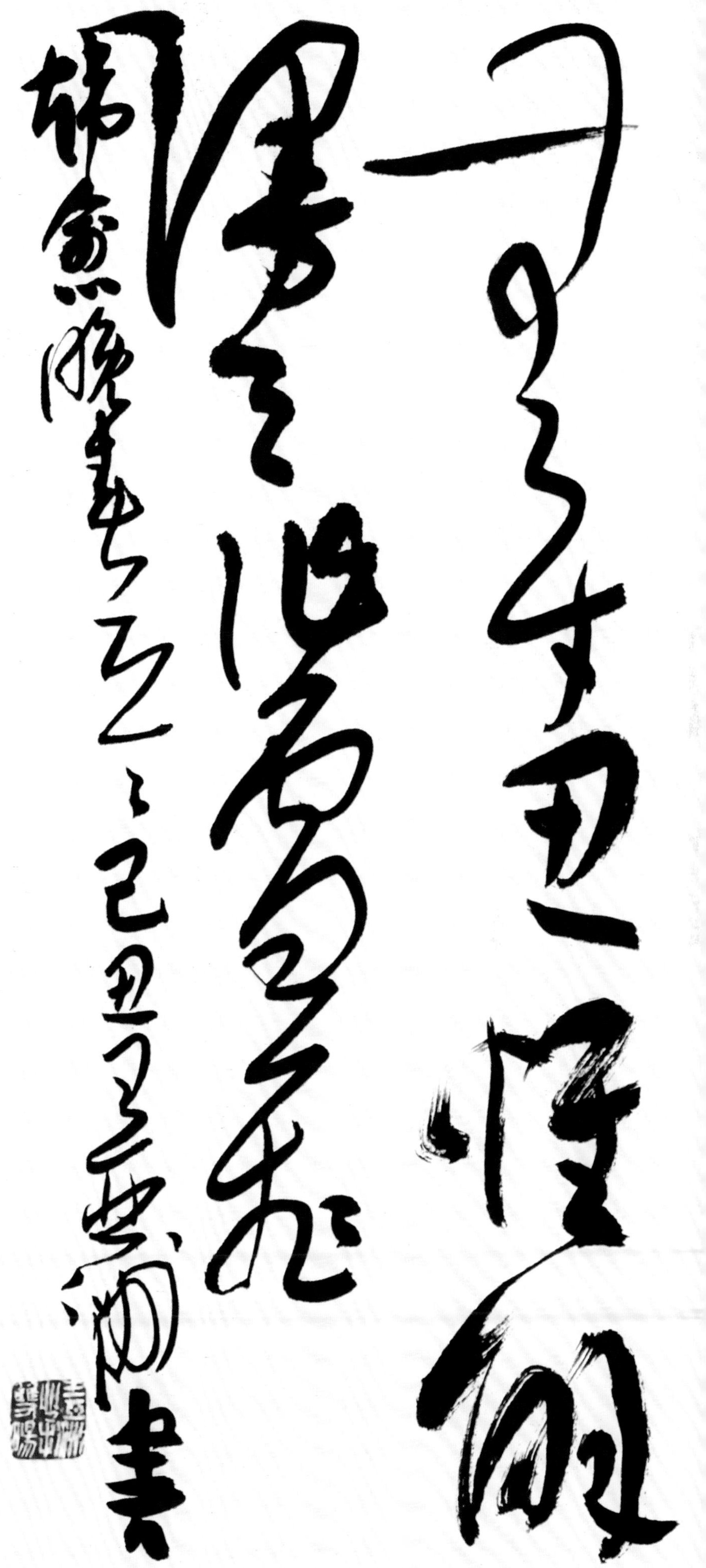

草树知春不久归，百般红紫斗芳菲。
杨花榆荚无才思，惟解漫天作雪飞。

千载斯人已陈迹，唯余真理曜乾坤。 请看雨湿墙头处，月影参差照漏痕。

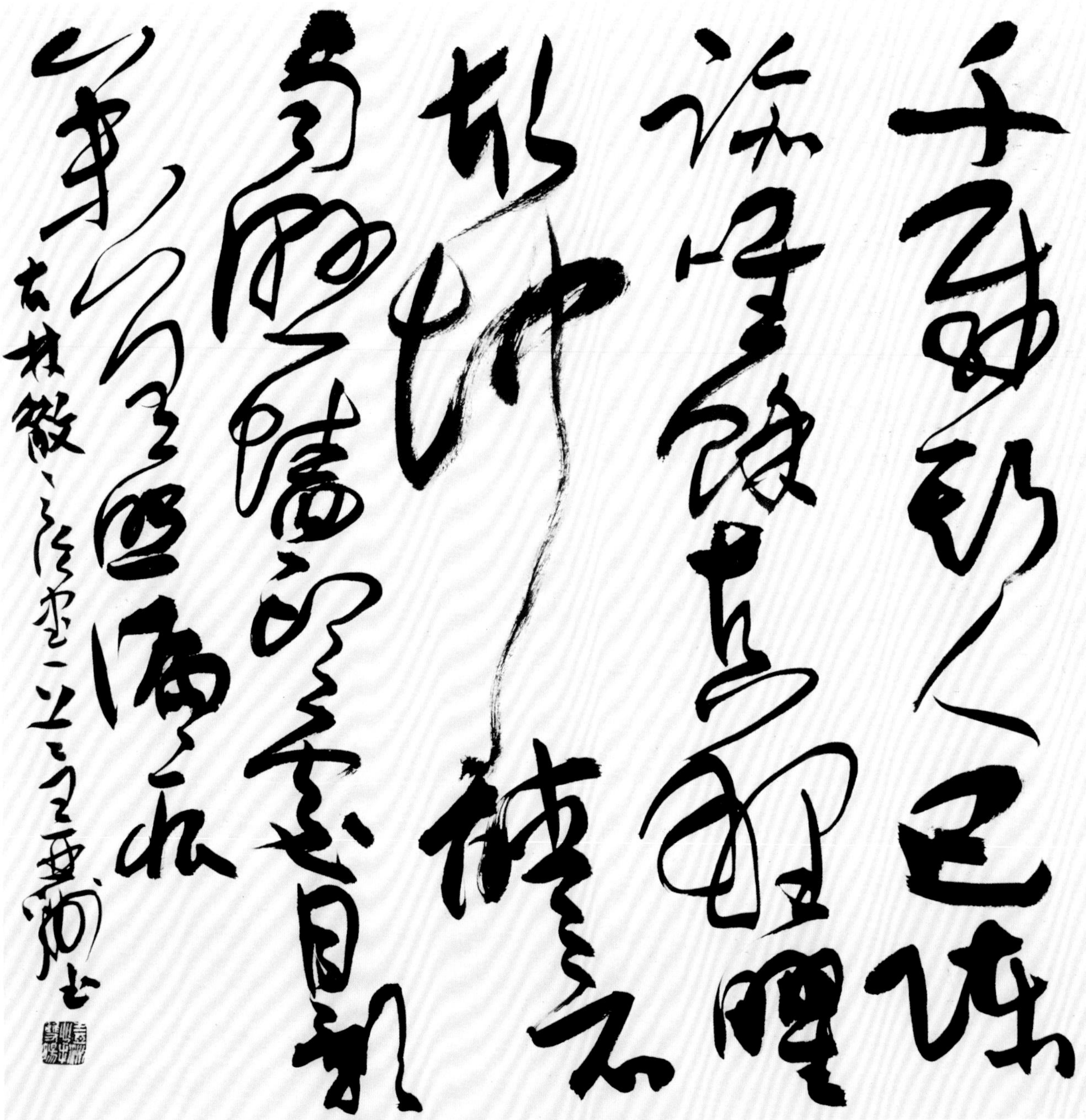

临袁裴手札

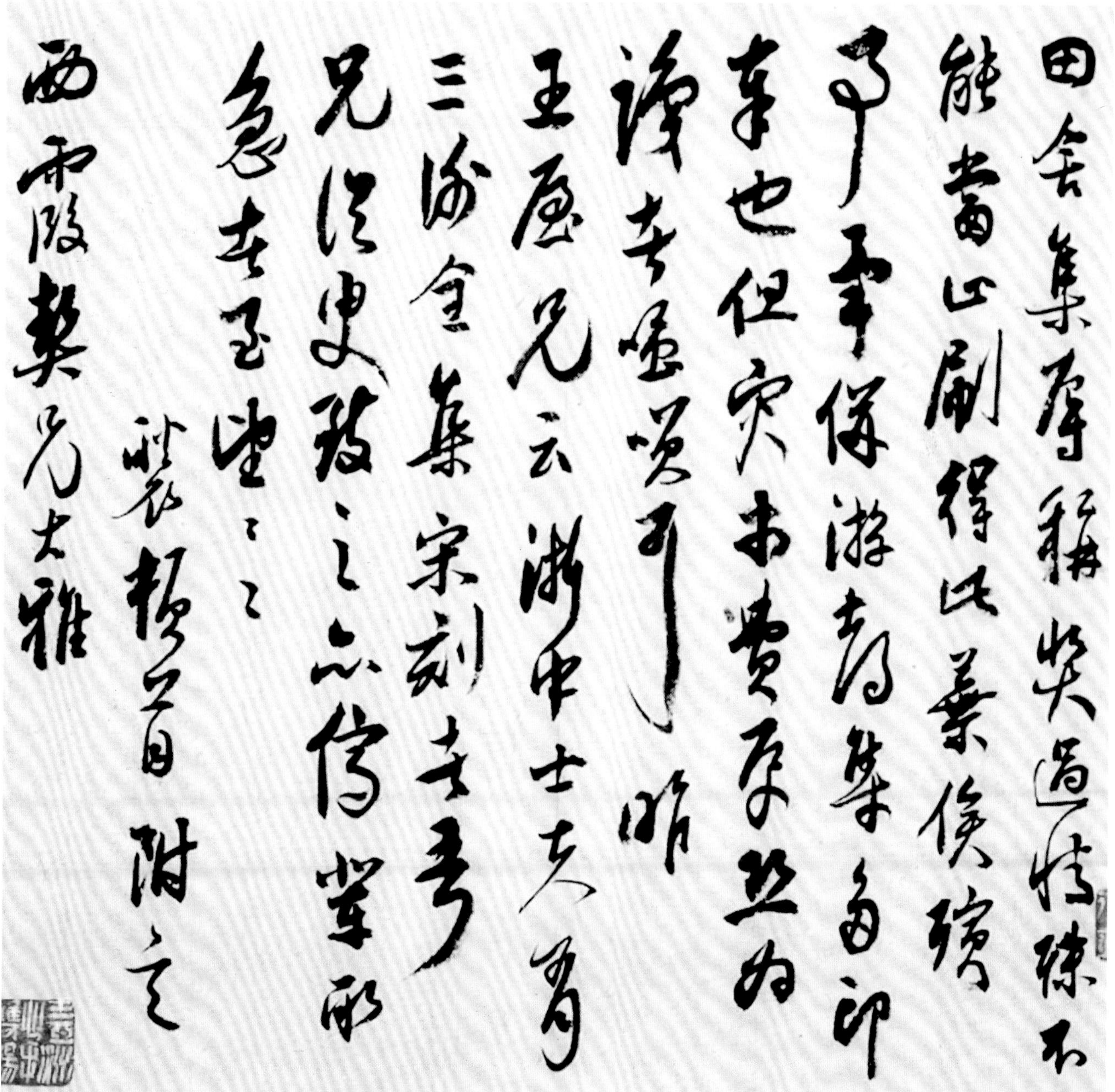

河南尹衛將軍
鑒羽廿月孫蘭
春三皇帝道武
秋齋字紹持節
洛陽曾孫戌兩
次夏五覺弟越
年遷司州徐二
刺史蟬騷返訓
榮襲封化崇光
遷暢澄斯照子

極韓胥至漢不驛安復縣
之追追于定改親樂顏以
魯古改皇初自里族邑遲
相華雄孔學初異中秦
　華育天子聖　邑
　　子　　聖

　　　　江城地癭
廿介未皇帝蓍草末只
一笑竹一艇有名華苦
向花李滂函和婷然
深意所道皇帝了詔
佳人　雪　相輔

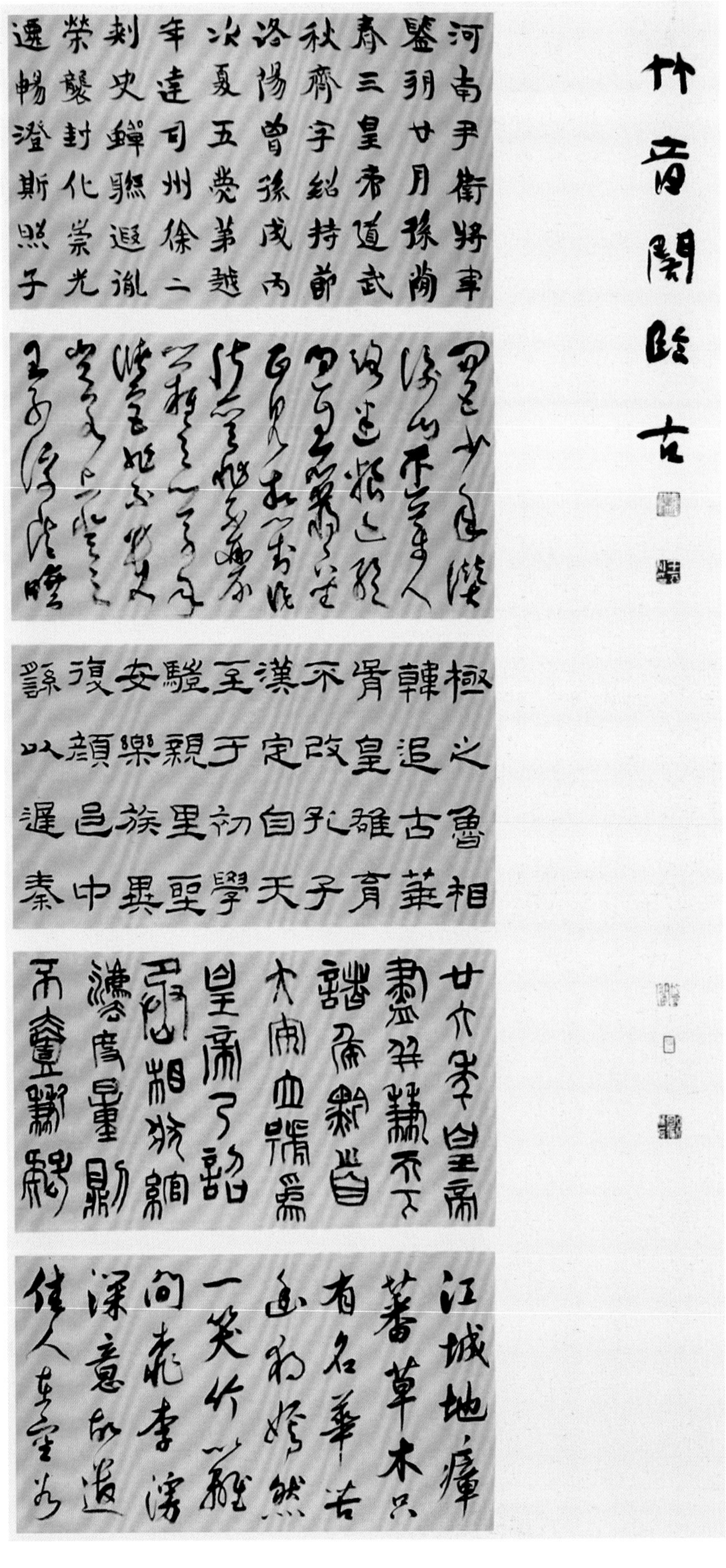

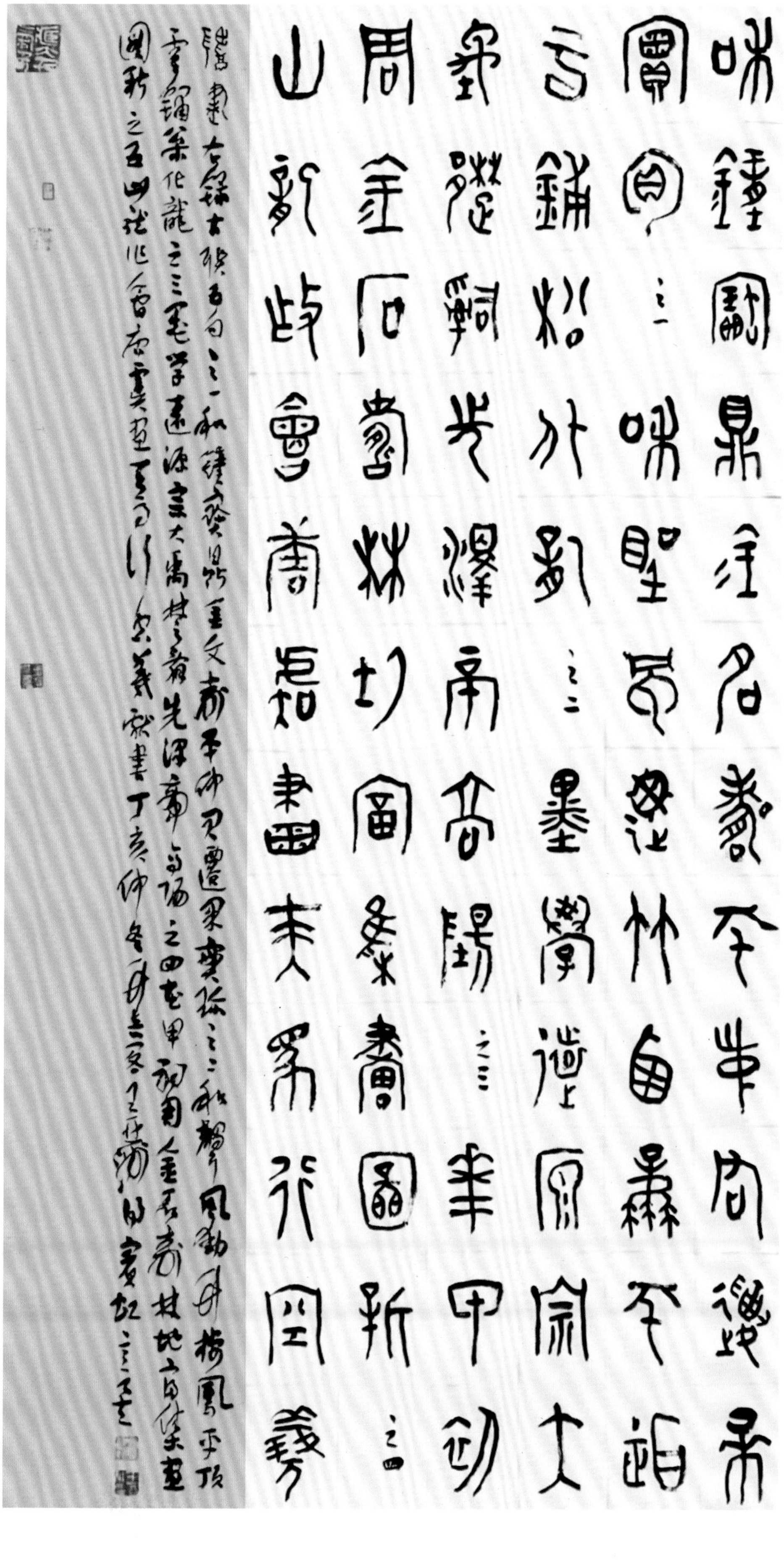

和钟宝鼎金名寿，平仲君迁果实珍。
和声风动竹栖凤，平顶云铺松化龙。
墨学远源宗大禹，楚辞先泽帝高阳。
花甲初周金石寿，林地富集画图新。
山龙作会唐虞画，天马行空羲献书。

孺牛将老添新翼

瓮味斋

云想山房（附边款）

大王造（附边款）

庄子故里人

龙集田夫

我的笔墨心灵

王亚洲

每个人的心情都会随着接触的事物及其空间的变化而变化，或愉悦，或郁闷，或平静，或急躁……。但如此千变万化，也还没有涉及到心灵，因为凡涉及心灵之事仿佛又是到了另一个层次了，毕竟心灵的变化是关乎人的魂魄的，心灵所感悟到的一切会影响人的生命价值。

影响我的生命价值的，是中国传统艺术精神的重要所在——笔和墨。

懵懂的感觉。初中时，在父亲『严厉』的目光下，我学着在唐颜真卿、柳公权门下『磕』了几个头，幼小的心灵似乎得到『升华』。每天半个小时的近乎涂鸦的『艺术状态』还是挺飘然的，这样的『艺术行为』随着父亲画的红圈逐渐增多而愈发自觉了，心灵在父亲私塾式的笔墨中『注册』以后，懵懂的感觉悄然转化为了现在想来是一种对书法艺术的『顿悟』吧。

音符的滋润。在不断临池与创作的实践过程中，我俨然觉得看似简单的『黑』与『白』其实蕴藏着无尽的神秘的色彩。凭着几分天资，我在同样属于中国传统艺术精神的另一重要所在——笛子里，寻觅着与书法的和谐、律动、境界相一致的点滴情结所在，或许这正是我父亲的『私塾修养』和我母亲的从未得以充分展示的『音乐才华』在我的生命中的延续吧。慢慢地，我的笔墨中似乎真的渗透了笛子独奏曲《帕米尔的春天》的绚烂、《挂红灯》的激越、《太湖春》的流畅、《秦川抒怀》的婉约、《妆台秋思》的静谧……，却一切都还在萌生之中，我始终渴望能够更多的接受音乐律动的滋润、晕染。从此，我的书法创作水准便有了自己的参照系数：我的对每一首乐曲理解后的对每一个音符表达的准确性、抒情性及其全曲演绎的完满性的苛求。

自然的融合。一个人的无论是艺术创作水准还是艺术鉴赏水平的高低，是由其心灵对艺术感悟程度决定的。直到今天，我才知道以一种『不以喜而爱不释手，不以不喜而不闻不问』（自家格言）的心态去对待和着手一切艺术行为，不禁锢在自然而然中流露的自身内在的艺术情愫。也正基于此，我愿意用更多的时间去亲近自然，让郁葱葱的山色渲染心灵，让清清粼粼的水光涤荡心扉，畅想着在与自然的融合中使自己的艺术思维近乎『思无邪』的理想境界，使自己的书法实践近乎旷朗无尘的理想境界。

笔墨的交织。笔离开墨只能是一种饰品而已，墨离开笔则没有任何存在的意义。我离开笔墨，无所适从，心灵空虚；笔墨离开了我，会有更多的拥有者，我只得好好把握。在与笔墨的交织中，尽管我得到过不少的殊荣和赞誉，但艺术始终只有『开始』，何况我无论如何还没有找到书法艺术殿堂里的真我，尽管我还说不清楚为什么，也不想说清楚，因为我的笔墨心灵还在继续感悟，我不愿意过早地让这感悟的脚步停歇，更不愿意过早地让仍然萌发的艺术冲动泯灭。我与笔墨的交织只处在现在进行时，我还将焚香净手！

如此看来，关乎我的魂魄的就是我的笔墨心灵了，虽然不是全部，但却是积极的，是向上的……。